LA DERROTA DE LO REAL

Pablo Brescia

www.suburbanoediciones.com
@suburbanocom

librosampleados.mx
@librosampleados

PABLO BRESCIA

La derrota de lo real

Distribuido por Suburbano Ediciones LLC (SED)

Miami, Florida USA

Diseño de cubierta: Gastón Virkel

ISBN - 10: 0-9890953-1-2

ISBN - 13: 978-09890953-1-0

INDICE

Dedico este libro a Enrique Fierro. Fue, incondicionalmente, poeta, conversador y amigo. Enrique fue la persona que yo hubiera querido ser. Tomo prestado uno de sus versos para contar *La derrota de lo real.*

Porque todo lo que contamos
se pierde, se aleja.

Ricardo Piglia, *Respiración artificial.*

I

Maneras de estar muerto

Pronto llegará el día de mi suerte.
Sé que antes de mi muerte,
seguro que mi suerte cambiará.

Héctor Lavoe, *El día de mi suerte.*

Un problema de difícil solución

10...

Hay una historia.

9...

El charco de sangre se escurre por debajo de su espalda. Tiene los ojos bien abiertos, atentos.

Me siento en el borde de la cama y pienso. Todavía puedo pensar. Actuar, en cambio, me causa mareos. Enciendo un cigarrillo. Contemplo posibilidades, desarrollo hipótesis. La habitación está extrañamente luminosa. Pasan algunas horas.

8...

Marco los números con lentitud; presionar los botones es una carga enorme. Alguien contesta del otro lado y me sorprendo al modular una voz firme, como si todo estuviera bien, como si nada hubiera pasado. Un auto va para allá, me dicen. Me pongo lejos de la cama y miro el techo.

Llegan.

-¿A quién pertenece el departamento?

-Es de mis padres.

-¿Conocía a la víctima?

-No había tenido el gusto.

-¿Sabe cómo murió?

-Ni siquiera entiendo cómo llegó aquí.

-¿Dónde estuvo usted en las últimas horas?

-No lo sé. Paso a explicarle. Hay un vacío entre el momento en que me acosté y el momento en el que me desperté con eso cerca mío. Es como si de pronto se hubiera materializado una pesadilla o como si alguien se hubiera apoderado de mí para forzarme a cometer un crimen o como si hubiera perdido la razón por unos segundos suficientes para provocar un descalabro o como si me hubiera tomado una revancha de alguien que desconozco.

Los policías revisan el cuarto buscando algún rastro que, les aseguro, no van a encontrar. El oficial se dirige a mí desde el fondo de sus ojos, expresivos de una decisión que cancela todas mis teorías. -Vamos-, me dice, y me toma del brazo. Cedo, porque así son las cosas cuando no se explican.

El cuarto está bañado en azul. Me llevan hasta la puerta y comprendo que no puedo salir, no puedo irme así. Me aferro al picaporte, grito, todo está cubierto de neblina. De pronto, los policías desaparecen. Las ventanas están cerradas y hace frío.

7...

Trato de hacer algo. Intento echármelo al hombro, pero se convierte en una de esas bolsas que los hombres cargan y descargan en los muelles. Entonces rodeo su cuello con el brazo izquierdo y, cuando hago el esfuerzo para incorporarnos juntos, caemos sobre el colchón. Nos golpeamos con la cabecera de la cama y las manchas de sangre salpican las paredes. Una lástima, las habíamos pintado hace poco. Una verdadera lástima.

Queda mirando al techo. Logro arrastrarlo hacia la ventana. Transpiro. Levanto el vidrio inferior y lo trabo con el seguro. Meto su cabeza y sus hombros en el hueco. Es inútil. Es demasiado grande y no pasa. De pronto siento un ruido tremendo. El vidrio superior de la ventana ha caído y casi guillotina la cabeza. Lo saco de allí, a duras penas. Queda tirado en el piso. Los dos estamos amoratados y exhaustos.

Me río un poco. Ya no sé de qué color es el cuarto. Pasan algunas horas y sigo con frío.

6...

Voy con pasos rápidos hacia la cocina; allí guardo las herramientas que nunca uso. Busco en la caja. No hay ni una sierra. Lo único útil podría ser este cuchillo que parece brillar. ¿Y qué le corto? La cabeza quizá, porque ya casi la tiene desprendida.

Me decido por un brazo.

Comienzo a hundir el filo de la hoja en la carne. Hay tendones y músculos y tengo que hacer un esfuerzo para atacar esa masa de color blanco. No me da asco, aunque definitivamente este papel no me queda bien. Intento asestarle golpes secos como los que usan los carniceros para ablandar la carne. Le doy a la nuca y la cabeza se levanta. Me enceguezco y empiezo a acuchillarlo por todos lados.

Es inútil: cortarlo me llevaría una eternidad. Mi estrategia se desploma sin mucha ceremonia.

5...

Lo empujo hacia la bañera con mi último aliento. El agua caliente corre por su piel. Sentado, parecería disfrutar de ese momento de relajación. Yo también entro a la bañera y me dejo salpicar. Estoy, estamos purificándonos, pienso. No hay nada mejor que el aroma a limpio, pienso. Y entonces siento el hedor que emana de un cuerpo que no es el mío.

La habitación sigue iluminada.

4...

Quiero bailar un vals. Salgo del baño y, tambaleando, busco a Strauss.

Lo saco de la bañera a duras penas, lo incorporo y lo pego a mí. Lo abrazo y danzamos en esa pista de baile privada, a la luz de la luna, golpeándonos contra los muebles, dando vueltas, ebrios de felicidad. Pero en uno de nuestros giros tiro demasiado del brazo semicortado y me quedo bailando con el brazo, mientras el resto cae.

Se acabó el baile.

Tiro el brazo inútil contra el aparato de sonido, que sigue tocando el vals. Entonces, ya con furia, tomo el aparato y lo arrojo por la ventana. Los disturbios hacen que se enciendan algunas luces del edificio de enfrente. Oigo gritos que se pierden en la noche.

3...

Me siento al borde de la cama y pienso un poco.

Me acerco al monobrazo y le hablo al oído, le digo barbaridades. Beso ese cráneo que ya casi no pertenece al cuerpo y le meto la lengua en una oreja. Creo advertir una mueca de placer. Me muevo despacio, me deslizo rítmicamente para llenarme de sangre, para que me sienta. Ahora hay otra música en el cuarto, la música que componen mis gemidos. Clavo las uñas en su pecho y me voy lentamente, en un rumor sabroso que me recuerda a una mañana de mar, con un sol que me calienta la cara y me pone a dormir.

Abro los ojos. Acaricio eso frío, mutilado, potente, que está debajo de mí. Enciendo otro cigarrillo, pero esta vez el gesto no es de nerviosismo, sino de descanso. Pasan algunas horas. Ha sido hermoso.

2...

Alguna vez vi una película o leí una novela con una situación parecida. Debería escribir todo esto, pienso. No. No quiero contar esta historia. Quiero vivirla, es decir, quiero terminar de vivirla.

1...

Evidentemente tenemos un problema de difícil solución. Cualquier cosa que haga nos lleva a la circunstancia con la que empezamos esta historia: a mi lado, un cadáver desnudo en una noche invernal. Él no cambia, soy yo quien debe cambiar.

Lo acomodo lo mejor que puedo en la cama.

¿Cómo no lo había pensado antes? Busco algo en el cajón y siento una forma que anuncia mi destino. Algún otro va a tener que resolver este caso. Me gustaría verle la cara al que se despierte con nosotros dos en la cama.

Pasan algunas horas. Ya no hace tanto frío.

‹ 0 ›

• • •

Takj

En el dialecto de los antiguos, Takj quiere decir "rojo", o "de resplandor cárdeno". Hubo un tiempo en el cual Takj no existía. Las caravanas de mercaderes atravesaban el desierto y, aunque creyeran ver algún oasis, no se detenían. Asimismo, los guerreros imperiales que pasaban por allí tampoco codiciaban el terreno ni imaginaban un mapa que contuviera esas dunas húerfanas de lo divino.

Las crónicas informan sobre la leyenda del origen. Uno de los tantos convoyes se detuvo repentinamente: una niña había caído, fulminada, al piso. Luego de lanzar espuma por la boca, dejó de convulsionarse. Algunos no habían notado las manchas de rojo violáceo que cubrían su piel. Otros sí, pero habían elegido no hablar. Hubo reproches y maldiciones lanzadas al fondo del tiempo. El aire se arremolinaba y los viajeros estaban por reemprender la marcha cuando el Líder -reconocido como tal a partir de ese día- hizo un alto con su mano derecha, sujetó las riendas de su caballo, y dijo:

-No. Es una señal.

Observó una de las carretas de telas lúgubres. Con lágrimas en los ojos, bramó la orden. Un jinete salió de la carreta, saltó sobre uno de los caballos y galopó sin mirar atrás, perdiéndose por detrás de las dunas.

Los soldados del Líder lo persiguieron a través de la nada. El jinete no tenía dónde esconderse. Pero huyó.

Durante nueve horas, el Líder, que siempre vestía un chaleco negro cerrado hasta la garganta, trazó con su bastón el perímetro del nuevo pueblo. Cuando terminó de hundir el palo en la arena, dijo:

-Viviremos en orden. Cada cosa estará en su sitio. El mundo será nuestro enemigo.

Y, viendo la sangre que humedecía los labios de la muerta, agregó:

-Nuestro lugar se llamará Takj.

La Tribu de los veinte (trece hombres; siete mujeres) decidió que el cementerio fuera el primer asentamiento. El entierro de la niña fue el primer rito del pueblo. Sepultar un cuerpo significaba echar raíz, adherir un nombre y una estirpe a la tierra.

Sobrevino la Primera Ley, enunciada por el Líder:

-Todos nuestros muertos yacerán en este sitio, que llamaremos el Campo de los Dolores.

Las casas dejaron de ser precarias y se tornaron sólidas. Se construyó una empalizada con una puerta de hierro casi infranqueable. En el diseño de sus arabescos aparecía la sombra del Líder, apuntando con su dedo hacia el infinito.

Las mujeres y los hombres copularon y la población creció. La sociedad se estratificó con rapidez: los gobernantes/sacerdotes, los guerreros, los escribas, los mercaderes, los campesinos.

Takj era un pueblo olvidado, un país anónimo. El Líder gobernaba con dureza: nadie podía entrar ni salir y cada habitante debía abocarse a sus tareas y respetar la sabiduría de aquel que interpretaba la voluntad divina. Más allá de algún conato de rebelión, los pobladores se hacían fuertes en la creencia de que habían sido elegidos para vivir y morir en ese sitio.

Como todo tiene su ciclo vital, el día llegó. Momo se acercó al Líder y le susurró:

-No hay más lugar.

Según los cronistas, en todos los mundos las cosas crecen hasta hacerse incontrolables. Takj se había expandido y el Campo de los Dolores no tenía cómo seguir enterrando a sus muertos. En toda la sofisticada armazón de supervivencia, con demarcaciones precisas y funciones asignadas, no se había contemplado la expansión del cementerio. El Líder comprendió el dilema: cualquier otra ley podría haber sido alterada o hasta revocada, pero la Primera Ley era incorruptible. Palabras como "lógica" o "absurdo" no figuraban en la lengua de Takj. Extender la parcela donde se ubicaban las sepulturas, crear un segundo cementerio, hacer que cada familia enterrara a sus muertos en sus casas o hasta cremarlos eran alternativas inviables. Significaban la aniquilación de la sustancia misma de la que estaba hecha el pueblo.

Hubo una reunión entre gobernantes y sacerdotes. Los guerreros estaban inquietos. El cónclave duró tres días y tres noches.

Finalmente, el vocero hizo el anuncio:

-Nuestro Líder promulga la Segunda Ley: No habrá más hijos en Takj.

Hubo un murmullo de asombro, pero la medida tenía sentido.

Las entrañas de las mujeres se sellaron con métodos en los que no conviene abundar. Algunas intentaron una protesta, pero entendieron que la orden del Líder era justa. También los hombres serían castrados y serían ellas las que llevarían a cabo la difícil tarea. Se estableció la edad límite para sellar a los niños (doce años para las hembras y quince para los machos) y el procedimiento: las propias familias se encargarían de hacerlo. La ceremonia de castración del Líder fue presenciada por todo el pueblo y ejecutada por la suprema sacerdotisa. El Líder y sus consejeros habían decidido que así fuera, porque sabían de la importancia de predicar con el ejemplo.

Por un tiempo, la calma volvió a Takj. Las cosas estaban en su lugar. Cada estrato social cumplía con su papel y el Líder se encontraba satisfecho porque sentía que él era el responsable de que Takj existiera y perdurara sobre la faz de la tierra.

Cuando Momo volvió a acercarse para susurrarle sobre el

problema de los enfermos y desahuciados, el Líder se dio cuenta de que debía volver a actuar. Ordenó a sus guerreros ir casa por casa y secuestrar a cada ser vivo que estuviera enfermo, incluyendo a los animales.

A la mañana siguiente, el vocero pregonó la Tercera Ley:

-No habrá más enfermos en Takj.

Las redadas se hicieron a plena luz del día y aunque en la población había temor, nadie puso en duda los mandatos del Líder. Todos los habitantes sabían, con la seguridad que da la fe en un ser que está del lado de lo divino, que su conducta era intachable. Viejos, jóvenes y niños subieron a las carretas y fueron escoltados hasta salir del portón. Las crónicas hablan de un acontecimiento fastuoso, con el Líder subido a un carromato y al frente de la comitiva que acompañaba a los enfermos. Estos, cargando sus pertenencias y de a pie, recibían las flores lanzadas por los que se quedaban.

Así nació la Colonia de los Indeseables.

Pasaron algunos meses. Takj era como una extensión del cuerpo y del espíritu de su jefe. Y, según los cronistas, todo lo vivo intenta prolongarse en el tiempo. El Líder se enfrentaba a su desafío mayor: cómo detener la muerte. Cavilaba sobre el asunto durante sus diarias recorridas, acompañado de Momo.

En la madrugada, Dios le habló y le mostró un camino. Al despuntar el día, el vocero anunció la Cuarta Ley:

-El Líder beberá la sangre de todos los habitantes de Takj.

Los pobladores comprendían que las cosas eran así porque no podían ser de otro modo. Mientras se iniciaban los preparativos para la matanza, el cielo enrojeció y cubrió las arenas.

Y entonces el Líder habló:

-Es una señal, dijo.

Los rostros descubiertos y las manchas de rojo violáceo

denunciaban el origen del ejército que se acercaba hacia Takj. Blandiendo sus alfanjes, atravesaron el portón de hierro. En los invasores, el Líder creyó ver a los hijos no nacidos de Takj y también creyó reconocer a los Indeseables. Pero de lo que estaba seguro era de lo que había visto junto a uno de los jinetes. Era la niña que él mismo había enterrado en el Campo de los Dolores.

-No es posible, gritó el Líder.

Por primera vez, el pueblo no creyó en sus palabras.

El comandante del ejército invasor miró a su enemigo con desprecio y tal vez con lástima. Luego pasó su alfanje a la niña.

El Líder pidió clemencia. Y después exclamó:

-¡Estás muerta!

Ella hizo un gesto de incredulidad. Alzó la hoja y el resplandor hizo que su cara brillara. Era como si el fuego la estuviera consumiendo. Luego, de un solo golpe, descabezó al Líder.

En la garganta estaba marcada la mancha de la infamia.

El jinete miró a Momo y le dijo:

-Vete. Huye hacia el sur.

Momo murió de hambre y de sed en el desierto.

El jinete y la niña llevaron la cabeza del Líder hasta el Campo de los Dolores. Regaron el cementerio con su sangre y, al enterrarla, promulgaron juntos la Quinta Ley:

-Takj no existe.

Las grietas surcaron el cementerio. El portón se derrumbó. El dedo del Líder seguía apuntando hacia el infinito.

A lo lejos, padre e hija cabalgaban sin rumbo. Las crónicas no hablan de su destino.

Según la enciclopedia, no puede afirmarse con total certeza que el lago de Takj, de aguas rojizas, exista. Algunos viajeros aseguran haberlo visto; otros, en cambio, afirman que es producto del efecto del sol sobre ciertos parajes desérticos.

Nada personal

-Papeles, por favor, pidió el guardia.

La mujer fingió no haber escuchado, y preguntó:

-¿Qué?

Recostado junto a la puerta, él no prestaba atención.

-Necesito ver sus papeles.

Ella, con la mirada baja, alzó un grado su voz.

-No entiendo, dijo luego de pensar un poco.

-No hay nada que entender. Papeles, por favor, repitió el hombre.

La mujer dejó de mirar al piso.

-Usted no tiene derecho a pedirme nada. Nadie tiene derecho a pedirme nada.

El guardia se encogió de hombros.

-Puede que sea así. No es nada personal. Mi función es pedir y revisar los papeles.

La mujer creyó ver una esperanza que asomaba por la puerta entreabierta.

-Entonces, ¿no soy la única a quien se le pide papeles?

-No. Todo el que pase por aquí debe mostrarlos.

La mujer comenzó a tramar algo.

-¿O sea que cualquiera que pase por aquí tiene que tenerlos?

-Así es.

-Entonces, ¿dónde están sus papeles?, atacó ella, acentuando el "sus" y acercándose hacia el hombre, como si lo amenazara.

-¡Aléjese de la puerta!, gritó él, irguiéndose.

Ella se paralizó y volvió a su posición inicial.

-No contestó mi pregunta, le advirtió a su contrincante.

Mirándola sin mirar, el custodio le dijo:

-Siempre he estado aquí.

La mujer pasó del ánimo triunfal a la decepción al escuchar esa frase.

-¿Qué quiere decir?

-Siempre he estado aquí.

La visitante no iba a dejar la lucha tan fácilmente.

¿Cómo que siempre ha estado aquí? Ningún ser humano ha estado siempre en un solo lugar.

-Yo sí, dijo el centinela. Y se encogió de hombros otra vez.

-Mire -continuó la mujer-, aún si usted hubiera nacido aquí y se hubiera criado frente a esta puerta, en algún momento usted no estuvo aquí. Es decir, usted llegó aquí de otro lado. Y si todos los que pasan por este sitio necesitan papeles, usted o sus padres o alguien de su familia o alguien encargado de su destino tuvo que mostrárselos a alguien. Y yo quiero verlos.

La cara del hombre se ensombreció. Afirmó más sus pies, abrió sus piernas y empuñó su fusil verticalmente, colocándolo en el mismo centro de la abertura que había creado.

-Yo no entrego papeles. Recibo papeles. Y doy el paso o no. Eso es todo.

La rabia volvió a la viajera.

-¿No estamos en un territorio libre acaso? ¿No podemos circular por él de la manera que se nos plazca? Yo no he hecho ningún mal, no he cometido ningún delito, no hay ninguna acusación en mi contra. Nadie me ha pedido ninguna identificación en mi camino hacia aquí, ¿por qué debería yo identificarme ante usted? ¿Con qué autoridad me pide los dichosos papeles?

-Yo no le he pedido su identificación. Le he pedido sus papeles, aclaró él.

La mujer entendió que su estrategia no estaba dando resultado. El oficial parecía imperturbable, inconmovible.

Decidió entonces probar otra cosa.

-He viajado durante dieciocho meses. Me he quedado sin comida, sin agua, casi sin ropa. Una mañana clara aparecieron dos hombres. Ya casi no recuerdo sus caras. Me mostraron unos documentos, me ordenaron que los firmara, me dijeron que debía acompañarlos. Protesté, les pregunté qué iba a pasar con mis hijos, con mi trabajo, con mi jardín. "Todo ha sido debidamente arreglado", anunciaron. No volví a ver a mis hijos, nunca regresé a mi casa. Siempre creí en el destino, pero nunca supe cuál era el mío. Creo que por eso estoy aquí. Yo les preguntaba y ellos no decían nada. Me dejaron varada en el medio del camino. Desde el principio, supe que era un lugar extraño, como si fuera el paisaje de un sueño. Un páramo hecho de un cielo rojo, nubes grises...

-Papeles, por favor, interrumpió el guardia.

La mujer esperaba ese intervalo. Lo aprovechó para tomar un poco de aire.

-Al principio pensé que había sido capturada y transportada a otro planeta. Cuando vi a los que vagaban como yo, caí en la cuenta de que no era así. En vano intenté hacerles una pregunta o pedirles ayuda. Deambulaban como zombies, como si su brújula interior tuviera un desperfecto que solo un mecánico de objetos raros podría reparar. Así, exactamente así, me sentía yo. ¿Usted comprende la felicidad que significa saber dónde pararse, qué decir? ¿Alcanza a darse cuenta de la dimensión de su fortuna, de poder estar allí, custodiando la puerta, sabiendo qué hacer? Esta es la primera vez en casi dos años que hablo con otro ser humano. Esta es la primera puerta a la que llego. Detrás de ella hay algo que me está esperando. Por eso necesito entrar.

-Usted está cometiendo un error elemental, dijo el custodio.

La narradora contuvo el aliento y trató de no hacer visible su satisfacción.

-¿Error? ¿Qué error puede haber en la historia que le he relatado?

-No podemos dar más información que la absolutamente imprescindible, explicó él, en un tono que denotaba arrepentimiento.

-Usted quiere mis papeles; yo no tengo ningún papel. Esta es la situación en la que estamos. Pero le pido su ayuda: tal vez si usted me aclara el error del que habla podamos llegar al fondo de todo esto.

-Mi función es pedir papeles y autorizar el paso. No es nada personal.

La mujer disimuló lo mejor su frustración. Había logrado un avance y ahora todo se echaba a perder. Esta última táctica estaba a punto de desbarrancar.

-Está bien. Entiendo. Usted se niega a explicar el error que cometí. Tal vez no haya error alguno y lo que quiere es que me vaya y no le siga contando mi historia.

Los ojos del guardia se rieron.

-Es un error elemental, tan elemental... dijo, meneando la cabeza.

La mujer dejó que él siguiera repitiendo esa frase mientras buscaba otra manera de lograr su cometido.

-Hace unas horas, después de vagar por caminos que no llevan a ninguna parte, los dos hombres volvieron. Aparecieron lejos de donde yo estaba; las ráfagas de viento no me permitían divisarlos bien. Traté de acercarme, pero no tenía fuerzas. Súbitamente, todo se detuvo y se aclaró. Estaban quietos y a su lado había dos siluetas. Corrí hacia ellas, pero tropecé a los pocos metros. Los hombres tomaron a las siluetas de las manos y comenzaron a alejarse de mí. Grité, grité mucho. Pero no hubo caso. Entonces emprendí la dirección que ellos habían tomado. ¿Es ese mi error? ¿Haberlos seguido? ¿Abrigar la última esperanza que me queda? Contésteme. ¡Contésteme, le digo!

El custodio miraba sin ver.

-Necesito entrar, dijo ella.

-No puede entrar, enfatizó él.

-¿Por qué? ¿Por qué?

El guardia ya no dijo nada porque no había nada para decir.

Ella, casi sin sentirlo, se dio cuenta.

-El error lo ha cometido usted, anunció con una mezcla de lástima y desprecio.

Luego le dio un suave empujón al centinela, apartándolo del comienzo de su felicidad.

-Espero que comprenda, -agregó la mujer- no es nada personal.

Antes de trasponer el umbral, respiró hondamente, como aguardando algo más. Entró y cerró la puerta para siempre.

Nunca supo por qué empezó a correr o cuánto tiempo lo hizo. Finalmente, algo cansada, se detuvo.

A diez pasos de ella, mirando sin mirar, el guardia custodia la puerta.

-Papeles, por favor, le oye decir.

• • •

Las que lloran

La historia de Rajiv es como tantas.

En ciertas áreas remotas de Nepal se encuentran las llamadas plañideras o dolientes. La tradición se inicia luego de las guerras, durante los tiempos que todos recuerdan y de los que nadie quiere hablar. Después de una larga meditación, Hari, el sabio de la tribu -en sus sucesivas y siempre exitosas reencarnaciones-, dictamina que todo muerto merece ser despedido dignamente. Las ceremonias con familiares y amigos no bastan, según él. Resuelve entonces que un cortejo acompañe los restos del difunto hasta el lugar de sepultura y los despida de la vida terrena. Según Hari, este tipo de rituales es necesario para establecer una identidad colectiva auténtica. Su intención, declara, es forjar un pueblo con orgullo de sus raíces y de su cultura, un pueblo que pueda salir airoso de los ataques extranjerizantes que intentarán hundirlos con los falsos dioses del progreso.

Hari, cuyo nombre significa “león”, dispone los requisitos para las personas que deseen ser parte de esta nueva costumbre. La doliente debe tener buena presencia, aunque no se le niega la oportunidad a una tullida o a una manca. A las ciegas se les prohíbe postularse, ya que sus ojos permanentemente abiertos o permanentemente cerrados distraerían demasiado la atención del evento. El atuendo es otro de los factores de importancia: el negro debe ser absoluto y cualquier tono de gris descalifica a la candidata. Solo el muerto puede vestir los colores que desee, honrando el gusto *pre-mortem* por un azul marino o tal vez un amarillo. Pasadas las pruebas de presencia física y vestimenta, se examina a las aspirantes en las tres aptitudes básicas: la marcha, los quejidos y las lágrimas.

Los instructores, entrenados por el mismísimo Hari, obligan a sus dirigidas a practicar la caminata de la tristeza por horas, aunque el trayecto de la villa al cementerio dure unos quince o veinte minutos. Es menester que los pasos sean cortos y los pies se arrastren. La coordinación es primordial: dos líneas rectas, distancia simétrica entre una y otra doliente, e inicio con el pie derecho; luego izquierda-derecha-izquierda, emulando las marchas militares. En esta región no existen tales desfiles, pero se incorporan a los estatutos de las dolientes gracias a la penetración de películas norteamericanas sobre la segunda guerra mundial. Aunque el sabio de la tribu resiste públicamente estas infiltraciones, se deja convencer por los profesores de las que lloran, quienes ven en esta práctica una saludable disciplina. La marcha se practica a menudo en condiciones adversas y cualquier desviación de su geometría se castiga con un golpe en las nalgas ejecutado con una varilla de acero. En cuanto a los quejidos, la coreografía se mecaniza eficientemente. Los "¿Por qué? ¿Por qué?" se complementan con los "Ayyys" y los "Ohhhs". La alternancia entre los lamentos está estructurada en un contrapunto de tonos. Un ejemplo es: *¿Por qué ¿Por qué?* (bajo) -*Ayyy* (alto) -*¿Por qué? ¿Por qué?* (bajo) -*Ohhh* (alto). A las quejas se les agrega el estiramiento capilar apropiado y es por eso que las mujeres de escaso pelo corren en desventaja en la competencia para integrar la compañía. Por otra parte, las cuerdas vocales se ejercitan entre las cinco y las seis de la mañana. Sin duda, el día de las plañideras es largo.

Los engranajes del llanto, fase final del entrenamiento, es la tarea primordial de las que lloran. Se busca entonces la manera más adecuada y efectiva de alcanzar completa infalibilidad en los efluvios lacrimosos. Por esta y otras razones, se encierra a cada una de las candidatas en una choza oscura que cuenta sólo con una silla y un televisor como mobiliario. La silla es incómoda y el televisor transmite sin interrupciones, imágenes violentas o catastróficas. Durante dos días, los párpados de cada aspirante permanecen cosidos a sus cejas para que la aprendiz esté expuesta al dolor. Algunos miembros del Consejo sostienen que esta técnica equivale a la tortura, pero Hari desestima esas opiniones, porque desprecia todo lo que no entra en sus planes. Las que colapsan frente al televisor por deshidratación, ataque de nervios o simple cólera son discretamente higienizadas y ya no se sabe de ellas. Sobre este módulo de capacitación y su influencia, proliferan distintas versiones. Algunos relatan que Stanley Kubrick presencia el entrenamiento para el llanto en una de sus visitas a Nepal y lo adapta para la famosa escena de *La naranja mecánica*. Otros proponen una historia que es el reverso de la anterior. En una época más o menos moderna, la película llega a Nepal gracias a un pujante mercado negro que incluye, entre otras cosas, el contrabando de cassettes de música y video. Hari, consumidor secreto de las novedades del mundo occidental, queda impresionado por el dramatismo de la toma y la adopta como parte de su plan. El sabio de la tribu, que todo lo olvida, menos la traición o el desafío, asegura desconocer cuál versión se ajusta a la realidad.

El primer escuadrón encuentra varias dificultades, pero luego de un régimen de seis meses supera las pruebas.

Quizá en este punto convenga aclarar el uso del artículo femenino para designar el estatuto de doliente. Las guerras tribales a las que se hacía referencia al comienzo devastan a gran parte de la población masculina en la región. Cuando Hari cae en cuenta de la escasez de hombres, un cosquilleo en su nariz pronostica el primer estornudo que por lo general sobreviene ante el olor a fracaso. *Pocos hombres + muchas mujeres = ¿no lloran?*

es la ecuación que se dibuja en su cabeza una y otra vez. Luego de una larga meditación, Hari, quien además considera a las mujeres seres inferiores, acepta no permitir que sus convicciones se antepongan al éxito; ¿qué es el destino de un hombre ante la reputación de todo un pueblo? (el sabio de la tribu volvería a hacerse esa pregunta en circunstancias muy diferentes). Traga saliva y se dice para sí: *Ea, las mujeres entonces.*

Veinte integran el grupo lloroso original. La longevidad de los habitantes de estas áreas remotas es universalmente conocida, pero todo el mundo se muere y pronto sucede el primer caso: un anciano de noventa y tres años, solo y sin familia. Hari piensa bien los próximos pasos, puesto que necesita de una marcha impecable en la función inaugural para grabar a fuego la tradición. Por eso, llama a Ganesh, su fiel ayudante, para que reúna a las muchachas. Ganesh, nombre que significa "guardián" (y cuyo equivalente en español es Grandi y demás variantes en lenguas romances), así lo hace. El sabio de la tribu camina hacia el aljibe de ladrillos blancos que se ubica en el centro de la villa. El pozo, dicen, alberga un terrible misterio. Allí Hari habla a viva voz, con claridad y fervor. Felicita a las mujeres -sus mujeres, dice- por haberse sobrepuesto a todas las adversidades, a todas las pruebas, a los días sin agua, a las noches sin sueño. Las impulsa a creerse sujetos morales colectivos, personas cuya identidad individual se sacrifica en pos de la voluntad, el sacrificio y la gloria del grupo y de su pueblo.

-La de ustedes -les dice- es una misión casi divina.

Las jóvenes lo escuchan embelesadas. Parvati, la de cabello negro como la noche, se adelanta.

-Maestro -proclama- sus palabras nos emocionan. Estamos aquí para servirle.

Hari sonríe de oreja a oreja.

La muchacha duda.

-Pero, maestro Hari, para nosotras esto es un trabajo.

Parvati, cuyo nombre significa "hija de la montaña", junta fuerzas y continúa.

-Y queremos ser recompensadas.

Hari trata de esconder su desprecio. Lo han dejado sin salida. Para despedir a un cuerpo se necesitan cuerpos y hasta que las guerras no cesen y las mujeres vuelvan a copular y a tener hijos, solamente cuenta con estas malagradecidas.

Con gesto adusto, pregunta:

-¿Cuánto quieren?

Hay satisfacción en la cara de Parvati. Y el primer entierro resulta todo un éxito.

Así, la historia de las que lloran.

Pero lo que interesa es la historia de Rajiv. Y, por tanto, tenemos que ocuparnos de Parvati.

Mucho tiempo después, frente a su hijo, Parvati recordaría -en sus sucesivas y no tan exitosas reencarnaciones- su desempeño como jefa de la compañía. Desde el principio, Parvati es inquieta. Sus grandes ojos fijos atemorizan a sus padres, que ven en ella primero una niña cruel, después una joven desobediente y luego una mujer habitada por el mal. Pero exageran. Es cierto que su hija enfrasca a los gusanos en el jardín para ver cómo el sol pulveriza esos cuerpos gelatinosos, y también es cierto que huye de su casa por tres días y se acuesta con tres hombres diferentes y los vuelve locos de celos y esto le vale una semana de encierro en "correctivos del espíritu" nepaleses, equivalentes a las clínicas psiquiátricas occidentales. Todo eso es cierto, pero en modo alguno explica su personalidad. A pesar de estos desmanes, Parvati busca lo que muchos habitantes de ese pueblo alejado de todo y de todos buscan: salir o sobresalir.

Pero no es fácil. Ninguna Parvati ha podido escapar de la

pobreza espiritual y económica de su familia. Entonces se aferra a la metáfora, es decir a la sustitución de una cosa por otra (la mujer de cabello negro como la noche volvería a usar esta estrategia en circunstancias muy diferentes). Se dedica a lo único que le interesa de Occidente: los libros. La lectura no se favorece en esas tierras, prefiriéndose la tradición oral, historias cosmogónicas narradas por Hari o por alguno de los miembros del Consejo. Ella, sin embargo, sospecha que en esos gestos de palabra repetida yace un futuro de subyugación e inmovilidad; en cambio, los libros son una especie de pasaporte, aunque no sabe bien qué es eso y nunca sale de Nepal. Parvati seduce a un viajero de Noruega que le enseña los rudimentos del inglés; lo demás corre por su cuenta. A ese hombre siguen otros y cada viajero le deja un libro y le enseña una lengua. Le atraen sobre todo las historias de dobles, esas donde se puede ser otra persona. *El retrato de Dorian Gray* y *Dr. Jekyll y Mr. Hyde* son sus lecturas más obsesivas; después de todo, ¿no tienen que ver con la reencarnación y con las enseñanzas pregonadas por los mayores? La lectura la libera del tiempo y del espacio, y así aparecen momentos de felicidad en su vida. Sin embargo, el ansia de sobresalir es más fuerte que las peripecias de hombres y mujeres de papel que, al fin y al cabo, no son suyos, no le pertenecen, está obligada a compartirlos con el viajero de turno, o con lectores que abren, metafóricamente, el mismo libro. Ella no quiere compartir nada con nadie, ya bastante lo ha hecho con sus padres y sus ocho hermanos.

A los veintitrés años le llega la oportunidad de brillar con luz propia. Las guerras se llevan a los hombres; los viajeros escasean. Hari inicia la formación de las que lloran. Parvati se presenta a los entrenamientos. Primero, los toma como un castigo, luego, como un juego; finalmente, como una farsa. Soporta todo lo que las demás soportan. Crece en ella una determinación inexplicable pero auténtica a la vez. Cada noche, al finalizar los ejercicios, se baña en el río para purificarse. Cuando le cosen los párpados, pide quedarse un día más frente a la pantalla del televisor. Y cuando llega el día en que Hari y Ganesh congregan al grupo en el centro del pueblo, está lista para comandarlo.

Se ha dado cuenta de dos cosas. Una, que la compañía de las plañideras no tiene ningún propósito sublime o solidario ni ha surgido para cimentar ninguna tradición, sino que es más bien una jugada de Hari para hacer de un rito privado un espectáculo público sujeto cada vez menos a la emoción y cada vez más a la pantomima. En otras palabras, lo que quiere Hari es fama y dinero. La otra, que, con la compañía, el sabio de la tribu enmascara su desilusión fálica; un aspecto poco conocido de la región es que los miembros del Consejo deben renunciar a ser sujetos deseantes. En otras palabras, Hari le ha echado el ojo a Parvati. Se dice que se defenderá de las artes de Hari siendo fuerte, siendo mujer y, sobre todo, siendo dos Parvati: la que quiere salir y la que desea sobresalir. Así, cuando da un paso adelante aquel día y pide su dinero, en realidad pide respeto.

Los logros de Parvati al frente de las que lloran obtienen un reconocimiento en la memoria oral de su pueblo, reconocimiento opacado por asuntos que son de dominio público. Por una parte, el grupo se comporta con profesionalismo y se renueva sin perder el decoro impuesto por su directora. Las dolientes marchan, se quejan y lloran cual experimentada compañía teatral; el pueblo afianza su costumbre, a punto tal que los habitantes o bien ahorran tenazmente para sus funerales o bien hacen votos para no morirse; las tribus vecinas recelan del éxito y planean invasiones; el sabio de la tribu recibe los réditos espirituales y materiales de su empresa y Parvati va adquiriendo cada vez más protagonismo, lo cual hace que sus padres estén más cerca de perdonarle la humillación de la clínica. Por otra parte, aunque añora aquellos ratos juveniles de desenfreno y desacato, Parvati se transforma en una especie de sindicalista nepalesa, concepto sin equivalente en la lengua de la región hasta ese momento. Acuerda que la jornada se limite a diez horas de trabajo, que haya dos descansos de media hora por día y que se incluya un aguinaldo en el sueldo de las trabajadoras, aunque todos los habitantes del lugar entienden por qué no hay vacaciones: la muerte no espera ni descansa. Hay algunos intentos de desestabilización y agravio, como la mañana donde aparecen pintadas en la choza de la líder recordándole sus andanzas juveniles, intimándola a abandonar el pueblo e invitándola a ella y a sus compañeras a actos sexuales en posiciones recomendadas por el *Kamasutra*. Eso no mella el ánimo de Parvati, quien sabe que Hari está planeando algo y sabe que debe resistir.

Lo que el sabio de la tribu está planeando es imponer lo masculino sobre lo femenino y comenzar a intervenir a las que lloran, hacer de las dolientes un ejército de hombres sensibles que han matado y visto morir en las guerras y así dominar con puño de hierro todos los estratos de la sociedad en aquella área remota de Nepal. Lo que quiere más que nada en el mundo es acabar con el sindicato y derrotar a Parvati.

Pero llega el momento en que todo cambia.

La niña muere luego de unas fiebres tumultuosas. Tiene seis años. Sus padres, desconsolados, entienden que lo mejor que pueden hacer por su hija es darle reposo. Hari les asegura que organizará una cortejo inolvidable. Como de costumbre, asigna el trabajo a las que lloran, pero les advierte que habrá una modificación, ya que él las acompañará. Esto es una seria irregularidad en el procedimiento, pero Parvati lo deja hacer. Intuye lo que él trama y decide confiar en su intuición. La niña viste un traje con arabescos dorados y su cara es hermosa y rígida. El grupo parte, atraviesa los últimos caseríos y recorre el polvo de los caminos que llevan al cementerio. Los sollozos no se detienen y la tristeza es un océano que cubre toda la experiencia. Llegan. La niña va envuelta en paños blancos y grises, como si fuera una criatura que pertenece a otro mundo. Los padres están vacíos, secos. Cuando terminan de bajarla, Hari comienza a abrirse paso entre la gente, que lo saluda con respeto, tal vez con temor. Quiere hablar ante el público y poner en marcha su maniobra. Pero no llega a la fosa donde reposaría el cuerpo de la niña muerta. Las plañideras se toman de los brazos y hacen una cadena protectora que rodea el lugar de descanso de la niña. Detrás de la cadena, elevada sobre un montículo, aparece Parvati. *Es una escenografía ridícula, una insolencia, un desafío*, piensa Hari.

Entonces, la jefa habla:

-Nadie más que una madre sabe lo que es perder un hijo.

Los asistentes giran sus cabezas, y en sus miradas hay reprobación hacia el hombre que quiere llorar. El sabio de la tribu comprende que ese no es su día y Parvati supone que, de una vez por todas, ha garantizado el futuro de las que lloran.

Esa noche, se acuesta rendida pero feliz. La asalta un sueño intenso. Ravana, el rey demonio de veinte brazos y diez cabezas, atraviesa Nepal y conquista territorios. Como cuenta la leyenda, se hace rico y corrupto. En el sueño, Parvati es Sita, la esposa de Vishnu. Ravana llega al pueblo de Parvati-Sita y acomete contra todo lo que se pone frente a él. La gran batalla, repetida eternamente, vuelve a ocurrir. Ravana se abstrae del fragor de la lucha y busca dónde descargar su furia. Entra a una choza y ve a Sita durmiendo, con su cuerpo descubierto. Los veinte brazos y las diez cabezas caen sobre ella. Rama, la forma humana de Vishnu, no puede impedirlo. La leyenda oficial cuenta la derrota del demonio múltiple gracias a las flechas mágicas de Rama, pero en esta versión onírica Ravana extrae de su túnica su miembro erecto y fecunda a la durmiente. Parvati-Sita, que al principio no siente nada, comienza a sentirlo todo. Abre los ojos. Una de las cabezas de Ravana tiene el rostro de Hari.

A la mañana siguiente, Parvati sabe que está embarazada. El descrédito es instantáneo y, aunque a la larga el sabio de la tribu no puede destruir el sindicato, sí logra obtener de los miembros del Consejo la orden de expulsión. Al enterarse de su futuro, la preñada reúne todos sus libros, los pone en una canasta y los lanza al río. Luego, huye hacia el norte con sus pocas pertenencias; Ganesh la acompaña hasta los bordes del olvido, un poco porque le cae simpática y también porque Hari se lo ha ordenado. Sus padres, que ya no ganan para sustos, también están a su lado, en una especie de versión del cortejo de las dolientes. Le preguntan por qué, siendo tan hermosa, tan inteligente y tan sensible, se ha dejado arrastrar así por sus bajos instintos. La mujer de cabello negro como la noche los mira con ternura, aun desde su desprecio. Les dice que finalmente ha caído en cuenta de la razón por la cual las reencarnaciones no funcionan para ella y le niegan el ascenso hacia una forma superior. Y agrega que también ha comprendido que es el momento de llamarse a silencio hasta que surja una nueva metáfora. Sus padres bajan la cabeza y es como si su hija hubiera muerto.

El hijo de Parvati nace una mañana de lluvia, a ciento veinte kilómetros de donde su padre mantiene la frente alta, orgulloso de haberse sacrificado por su comunidad. ¿Qué es el destino de un hombre ante la reputación de todo un pueblo?, se pregunta retóricamente Hari.

Así, la historia de las que lloran.

Llegamos, finalmente, a la historia de Rajiv.

Rajiv, cuyo nombre significa "flor de loto azul", crece puro.

Su madre nunca habla de su padre y él nunca pregunta. Taciturno y reservado, tiene pocos amigos. Muchas veces se lo ve frente a una higuera, pensando. Rajiv -en sus sucesivas y siempre misteriosas reencarnaciones- piensa. Piensa y piensa. ¿En qué piensa? Las crónicas cuentan que al principio sólo pone su atención en el mundo exterior: el vuelo de una libélula, la caída del rocío sobre una hoja otoñal, el movimiento imperceptible de una roca. No tiene guía de ningún tipo; no hay sabios en donde vive y su madre no habla. A pesar de la falta de estímulo para el desarrollo personal, un conocimiento de siglos emana de su ser (solamente en una ocasión, y en circunstancias muy diferentes, Rajiv dudaría de que esto fuera cierto). Los que lo conocen creen que su destino es sublime.

Tanta observación de la naturaleza le ha enseñado a saber mirar, a ver lo que otros no pueden ver. El mundo es más que este mundo, piensa. Luego de perfeccionar el arte de la observación, bucea en su propio interior. ¿Qué fin persigue el muchacho de pies veloces? Busca reconciliar la naturaleza impetuosa de la especie humana con la armonía indiferente del universo. Calma, lucidez, tranquilidad y aceptación ante el destino. La vida es vanidad y el mundo es irreal; el ego no existe y los sentidos nos engañan. La razón y la imaginación son nuestros enemigos. Uno es todo y todo es uno. ¿Y entonces?

Zazen. La meditación en posición de loto alejada de cualquier actividad. Rajiv no repara en la coincidencia entre el significado de su nombre y la posición que asume al meditar. El zazen lo lleva a discernir que la búsqueda del vacío ante la plenitud de la naturaleza y de lo humano, aunque primordial, es sólo el primer paso. Luego, cerrar la puerta de los sentidos. Luego, olvidar la resistencia y dejar fluir. Luego, el no-yo, el no-yo, el no-yo. Luego, hacerse uno con lo que fuera que estuviera presente -el caminar de una hormiga, nadar en un lago, la flecha despedida del arco. Deshacerse es un paso más. Pero este no es un método de huida ante la desgracia del ser. Todos tememos estar demasiado vivos, y el riesgo de la meditación zazen es un contraste insalvable entre pensar y actuar. Respirar, respirar profundo, enfocarse en el ritmo de la respiración, adquirir una conciencia inconsciente, concentración en una sola cosa. Respirar por respirar, sí, pero Rajiv siente que el zazen no es un fin en sí mismo. Lo que ansía es el cruce perfecto entre contemplación absoluta y prácticas morales.

La madre observa a su hijo bajo la higuera, con los ojos abiertos, a veces llorando. Y no dice nada. Una mañana de lluvia como la de su nacimiento, mientras Rajiv se deja mojar, La revelación se presenta, diáfana. El problema es el cuerpo. Nuestra misión existencial es alcanzar el máximo funcionamiento del espíritu, pero el envoltorio de carne no ayuda puesto que no evoluciona; por el contrario, declina, decae. *En la vida*, piensa Rajiv, *hay que saber caer.*

Al otro día, camina hacia alguna parte cuando su amiga Indira le cierra el paso.

-¿Adónde vas, querido Rajiv?, le pregunta.

El muchacho no quiere contestar.

-Ven, tengo que mostrarte algo, le susurra Indira.

La joven lo lleva a un paraje deshabitado, una especie de gruta oscura. Allí, y antes de que Rajiv abra la boca, abre la túnica. Por primera vez desde que su madre lo amamantara, Rajiv ve un cuerpo que no es el suyo en todo su esplendor. Observa esa cosa llamada pelo cayendo como una cascada, esos globos llamados ojos penetrando su pecho, esas redondeces llamadas senos que suben y bajan, rítmicas en el deseo. Él tiembla y ella sonríe, porque también tiene miedo. Indira extiende la mano y toma el pene. Lo tira hacia ella y empieza a frotarlo sin experiencia. Luego se recuesta con suavidad y guía al hijo de Parvati hacia la vulva. El acto dura veinticinco segundos.

En la cara de Indira hay placidez; en la de Rajiv, inquietud. Ha satisfecho sus pulsiones animales, aquellas que su cuerpo siente irrefrenables, y esto es bueno porque todo fluye. Si uno de los objetivos del zazen es fusionarse con la experiencia, en su encuentro con la chica ha logrado ser otro, abandonarse, dejarse caer. Pero lo angustian otras preguntas: ¿no va en contra de la práctica meditativa dar rienda suelta a los sentidos en vez de cerrarles el camino?; ¿qué pasa con la eliminación de los deseos del sujeto?; después de tanto entrenamiento para querer menos, ¿por qué ahora quiere más? Lo que tiene claro es que la penetración le ha gustado menos que la masturbación.

El cataclismo sobre las funciones del cuerpo se convierte en la razón principal de sus tres viajes, también conocidos como "Las tres peregrinaciones de Rajiv". En cada una de ellas, cree recibir una señal que lo acerca al sentido último de la existencia o, al menos, de la suya.

La primera ocurre algunos meses después del encuentro con Indira. Rajiv abandona sus posesiones y emprende el camino hacia Bodh Gaya. Sus pies veloces hacen que el viaje sea menos penoso que lo normal; aun así, acepta el sufrimiento de horas de hambre y sed y jornadas sin abrigo porque cree en poner a prueba su cuerpo. En cualquier momento y en cualquier lugar adopta la posición de loto y practica el zazen; respira y respira y cada día se ve más capaz de separar alma de espíritu, si bien es cierto que la respiración no basta para nutrirse y que el recuerdo de Indira y su mano interrumpe su concentración. Surca montes y valles, planicies y mesetas. Duerme al abrigo de pinos y abetos.

Cerca de Patna, detiene su marcha. Una muchacha le sale

al paso y él se cubre la pelvis. Ella se lleva la mano a la boca, burlonamente.

-¿De dónde vienes?, pregunta.

Rajiv no contesta.

-¿Adónde vas?, insiste la muchacha.

-Voy a Bodh Gaya, explica él.

-Ah. Quieres ser iluminado, como los otros.

Él asiente, avergonzado por su irritación.

-Dime, ¿crees que este encuentro es circunstancial, que no dejaré huella en ti, que ya no volverás a verme?

Rajiv no sabe qué responder.

-No te aflijas, comenta ella.- En estos detalles, que aparecen fuera de nuestras historias, se halla una verdad, o tal vez un futuro. Por ejemplo, yo te voy a dar una cosa y no entenderás su significado hasta mucho después. O antes.

La muchacha sonríe y saca de su vestido una flor de loto azul. Se la ofrece.

-Para que te acompañe y para que me recuerdes, le dice.

Rajiv acepta el regalo con una reverencia y con su frente toca la mano de su benefactora.

Llega a Bodh Gaya cerca del crepúsculo. Toma un poco de agua y se acerca al árbol de Bodhi. Se siente único. Pero en cuanto ve a los peregrinos vestidos como él, hambrientos como él, desfallecientes como él, se deprime. Es un segundo, quizás una fracción de segundo. Pero es suficiente. Al fin y al cabo, es hijo de su madre y de su padre. Como aquel otro famoso ser-en-meditación, se sienta frente al árbol, abre los ojos y no parpadea por varios días. Cree que no ha sido iluminado y llora.

Algo, sin embargo, se mueve en su interior.

De regreso a su aldea, su madre lo abraza, pero no pronuncia palabra. Rajiv duerme y entre sueños ve borrosamente su destino, un destino en el que él es un vehículo para los demás, un destino de contemplación absoluta y prácticas morales.

Cuando sale de su choza, declara:

-Soy un pequeño Dios. Vengan a tocarme.

Indira es su vocero y pronto las mujeres -primero las más jovencitas, luego las maduras, finalmente las viejas- hacen la caminata hasta donde Rajiv ha erigido una especie de tótem. Aunque estas acciones puedan malinterpretarse como opuestas a lo predicado por el zazen, en realidad él se ha olvidado de su ego y solo quiere ser instrumento del placer o la felicidad de otros. Por ello, luego de la meditación matutina, sale fuera de la choza y, sentado en una silla de madera que él mismo ha labrado, abre su vestido y se deja masturbar por las mujeres del pueblo. Son cinco o seis frotaciones diarias, aunque hay quien ha dicho que en alguna ocasión se llega a diez, lo que daría credibilidad a las palabras de Rajiv sobre su condición de pequeño Dios. La ceremonia se hace popular a partir de un rumor que asegura que el órgano sexual del muchacho de pies veloces es una especie de talismán que protege contra las enfermedades y trae abundantes cosechas. Hasta el tótem de Rajiv comienzan a llegar hombres.

La madre pasa de la incredulidad y el estupor a la aceptación. Luego de tres meses de ritos masturbatorios diarios, Rajiv está agotado. Un día, se desliza de su silla al suelo, como si hubiese nacido a un estado líquido. Su madre se compadece de él y lo arrastra hacia su hogar. Odiándolo y odiándose, lo alimenta y espera pacientemente a que recupere fuerzas. Luego de un descanso de horas, el hijo abre los ojos y se encuentra con los de su madre, velándolo. Se incorpora como puede y siente que es tiempo de echar a andar. Sale de la choza y anuncia:

-Necesito ir a buscar la cabeza que toca el cielo.

La segunda peregrinación de Rajiv se inicia durante los meses de invierno. Ha decidido llegar hasta el Sagarmatha, nombre que los nepaleses dan al Monte Everest. Sólo lo comenta con Indira, quien le dice que está loco y que por eso debe hacerlo. Sabe que las tribulaciones del viaje serán muchas y las privaciones infinitas; sin embargo, es una nueva prueba para el cuerpo, un cuerpo del que intenta desapegarse, aunque, paradójicamente es imprescindible su materia para la meditación zazen, para llegar hasta Sagarmatha, para sufrir. *Todo lo valioso es paradójico en una existencia superior*, piensa Rajiv, quien necesita de una conjunción perfecta de cuerpo y mente para alcanzar ese estado superior. Exhausto de energía sexual, vaciado de todo ímpetu carnal, es ahora cuando vuelve a concebirse como instrumento. Ha cumplido con su lugar de origen, ha puesto el cuerpo, y ahora la meditación debe llevarlo a otras geografías físicas y espirituales que lo transformen para poder ser ese ser que, siendo, es.

Atraviesa Katmandú. Surca montes y valles, planicies y mesetas. Duerme al abrigo de pinos y abetos. Llega al país de los sherpas y al pueblo de Namche Bazaar. Ese día nieva con fiereza y le cuesta ver más allá de sus narices. Se demora en contemplar la idea de que lo blanco muchas veces oscurece el camino de la verdad. Una figura humana se acerca a él.

-Bienvenido, sadhu.

Rajiv ve a un hombre viejo con los bigotes congelados.

-¿Qué te trae por aquí?, pregunta el hombre.

El viajero anuncia su cometido.

-¡Ah! Como los otros, exclama el viejo.

Al recién llegado no le quedan fuerzas ni para indignarse.

-Agua, pide.

-Haré algo mejor que eso, dice su anfitrión.- ¡Te prepararé la mejor sopa de Namche Bazaar!

La sopa es horrible, pero al menos está caliente y esto

consuela a Rajiv, quien está agradecido a quien lo ha cobijado.

-¿De verdad piensas llegar a Chomolongma?, interroga el viejo.

Rajiv se muestra compungido. Sabe que su cuerpo no resistiría el ascenso y aún está lejos de lograr el nivel de concentración que le permitiría alzar el espíritu hacia Chomolongma, nombre que los sherpas le dan al Monte Everest. Explica entonces que su aspiración es replicar la experiencia del monje Samdhava que, elevado por un rayo hasta la cabeza que toca el cielo, logra fundar nada menos que una religión.

-¡Bah! No creas esas leyendas que son para los turistas, le dice el dueño de casa. -Mira, las verdaderas revelaciones me las da él, declara, señalando a una pequeña figura que está en la mesa al lado de la cama. Es de plástico verde y no tiene pelo. Sus orejas son puntiagudas y sus ojos, grandes.

El visitante mira sin entender.

-En Occidente, lo veneran como a un Dios, explica el viejo, sonriendo con malicia.

-Tiene una relación especial con lo que ellos llaman "la Fuerza". Yo lo froto un poco y a veces veo cosas, entiendo cosas. Toma, llévatelo. Te lo presto para meditar. Sal y ponlo a prueba.

Afuera, la nevada ha recrudecido. El peregrino, con espanto, vuelve los ojos hacia su interlocutor.

-Hazlo, ordena el viejo.

Rajiv toma la figura y sale. Se sienta en posición de loto e intenta sobreponerse al clima adverso, al cansancio del viaje, a las llagas en sus labios y en sus pies, al hombrecito verde y al viejo loco. Está sentado dos horas con Yoda en la mano. No ve nada, no siente nada especial. Cuando entra, los dedos de sus pies se han ennegrecido.

El viejo advierte el fracaso en el rostro de su huésped.

-Bueno, sólo unos pocos llegan. Imagino que ya no tienes

nada que hacer aquí. Mira, ten esta revista, es para que te entretengas en el regreso, le dice, concluyendo la visita.

El muchacho de pies veloces bebe un poco más de caldo, recoge lo que le ofrece aquel desconocido y emprende el retorno. Dentro de su mochila, se arruga el ejemplar de la revista *National Geographic* que lleva como título "El Amazonas" y, debajo, anuncia: "Ayahuasca o la búsqueda del más allá".

Al acercarse a su aldea, Rajiv nota que, junto a su madre, hay otra sombra. Es Ganesh, quien ha venido a contarle sobre la historia y las últimas noticias de las que lloran.

Luego de la reunión entre Parvati, Ganesh y Rajiv y de la lectura de la *National Geographic*, se inicia la última peregrinación hacia el Amazonas en busca de la ayahuasca, hierba medicinal que provoca estados alterados de la conciencia. Es Parvati quien lee el artículo y quien se da cuenta que ese texto encierra una posible salida como las de los libros en su juventud. Entonces, como en aquella época, recurre nuevamente a la metáfora, es decir, a la sustitución de una cosa por otra, y ve en su hijo un emisario de los nuevos tiempos. Ya no es una cuestión de dinero o de dignidad. Es un asunto de venganza.

Toma a Rajiv de los hombros y, mirándolo con intensidad, rompe su mutismo:

-Vete. Corre a buscar tu camino. Deja atrás quien eres y enfréntate con quien vas a ser.

En el trayecto del barco carguero entre Bangladesh y Brasil, Rajiv medita sobre los procesos vitales, sobre cómo la vida urde un relato sobre el crecimiento y la maduración y, al mismo tiempo, sobre el empequeñecimiento y la pudrición. Con marineros de barba frondosa navega por el océano Índico y el océano Atlántico, se emborracha y canta canciones de altamar. Su cuerpo ha recuperado las fuerzas perdidas en Bodh Gaya y en Namche Bazaar y la luna y las estrellas cobijan su espíritu. La práctica del zazen en el agua es benéfica; las olas lo mecen y él recuerda en posición de loto los pasos dados en la búsqueda de su autorrealización, abstrayéndose de la naturaleza y de sí, pero siendo, al mismo tiempo, más que la naturaleza y más que él mismo. *El no-pensar es el mejor pensamiento*, se dice, y así se da cuenta que los llamados placeres son efímeros e insaciables. Por eso, se ha concentrado en el dolor de lo que acaba sin más, del cuerpo. Respirar, sí, pero para aceptar el dolor de estar vivo. El dolor dura lo que duramos nosotros, ¿por qué huir de él? ¿Para qué, como se hace en algunos lugares del planeta, diferir el final con rutinas, costumbres, leyes, distracciones? Nuestra condición es lo transitorio; debemos abrazarla, ir hacia ella.

Mientras el cielo resplandece y sólo se ve mar, Rajiv piensa en la historia de las que lloran, en las regiones remotas del Nepal, en su madre. Medita que nada de eso tiene un significado y que, sin embargo, es como si toda su vida se hubiera preparado para lo que vendría. Sus jornadas de meditación, sus viajes, su rol de pequeño dios, todo converge hacia un estado que se parece a un sueño donde él dirige al personaje protagonista. El sol marino desgarra sus ojos bien abiertos y Rajiv sabe que va hacia una muerte.

Es Parvati quien le ha contado a su hijo (y a Ganesh) que, según el artículo de la revista, ayahuasca es una voz de los indios de una región de Sudamérica, los quechuas, que quiere decir "soga de los muertos". Rajiv entiende que su peregrinación al Amazonas es distinta de las anteriores, más un proceso de aprendizaje que una búsqueda ciega. En ese último viaje, Rajiv une lo personal y lo colectivo, el cuerpo y el espíritu, la contemplación absoluta y las prácticas morales. La muerte es la más humana, la más individual y la más universal de las experiencias. Nadie puede vivir la muerte del otro. Aun así, los muertos están siempre vivos y todos estamos muriendo. Rajiv tiene fe de poder aproximarse lo más posible a ese imposible. De cierto modo, ha nacido para la muerte. Está allí para entenderla.

El barco llega a las costas brasileñas y el viajero no tiene miedo ante la geografía fabulosa, tan distinta de su tierra. Prueba alimentos que su paladar jamás olvidará, ríe antes los colores que no puede identificar ni describir, comparte diálogos y silencios con gente desconocida, en el idioma de los que están a la caza de algo que no pueden explicar o develar. Rajiv llega a Belem y se traslada a Macapá. Allí le pregunta a una vendedora de amuletos por la ayahuasca. La vieja sin dientes le dice que debe llegar con los shuar, o jíbaros. Comienza entonces a remontar el río con los pobladores de las diferentes zonas quienes se lo pasan como si fuera una pelota de fútbol, compadecidos de su aspecto andrajoso y curiosos ante su práctica de meditación, realizada a cualquier hora y en cualquier lugar. Hacia la mitad de su viaje, inmerso en un trance sobre el río, Rajiv siente que se eleva, que su espíritu sale de su cuerpo y puede observar el Amazonas en toda su magnificencia: la vegetación acuática, la selva tropical, el agua como una larga y sinuosa serpiente.

Arriba a una población sin nombre cerca de la frontera entre Ecuador y Perú. Busca al chamán y se presenta con las pocas palabras de español y portugués que ha aprendido en el trayecto. El chamán lo observa detenidamente y luego, con una mueca que Rajiv no sabe interpretar, le dice:

-¿Y cuánto vas a pagar por la ceremonia? Nada es gratis en este mundo.

Algo sorprendido, el viajero no sabe qué replicar, pero no ha llegado hasta allí para irse sin la iluminación que le corresponde.

-Soy un pobre monje -dice Rajiv- y he renunciado a las

posesiones y a los placeres. No pienso en mí; sólo soy instrumento de otros.

El chamán no parece conmovido.

-Espera, dice Rajiv y busca en su alforja.

Saca al muñequito verde, lo pone en un puño. Hace desear un poco al brujo y luego abre la palma.

-Es un dios de los norteamericanos, explica. -Su fuerza cósmica es poderosa.

El miembro de los shuar se junta con los otros en un círculo. Discuten con gestos y ademanes. Finalmente, el chamán hace que sí con la cabeza y toma a Yoda.

Al otro día, se prepara la ceremonia. El interés de Rajiv consiste en aferrarse a la soga y bajar hacia los muertos, conocerlos, experimentar su estado. Ese es el saber que busca.

El curandero reúne a algunos miembros de la tribu y empieza a fumar el mapacho para ahuyentar a los malos espíritus y a los pensamientos. Luego hierve las lianas -depuradas la noche anterior- y los ingredientes vegetales para componer el brebaje. Pronto inician los cánticos que parecen provenir de todos los rincones de la selva. Duran horas. Rajiv se mantiene en silencio, respetuoso, en posición de loto. Los cantos se diluyen, señal de que pronto el brebaje será servido. El chamán reparte las vasijas y cada uno recoge la suya y bebe de golpe la poción. Para Rajiv es como si bebiese el caldo de sus propios intestinos. Al poco tiempo, algunos participantes se ponen de pie: uno danza en círculos, incontrolablemente; otro se tira de los pelos y se da cachetazos. Los cantos vuelven a ser poderosos. Empiezan los vómitos. Pero a él no le sucede nada y se preocupa de que, como en sus visitas a Bodh Gaya y al Everest, no le pase nada. De pronto, vomita casi sin aviso un líquido amarronado. Es la purga. Se percibe más liviano. El deseo da paso al devenir.

Cierra los ojos y entonces se mete dentro de sí mismo: está en sus venas y sus arterias, en sus órganos, en sus neuronas; al llegar al corazón, eso que él es -que no es él- ve una liana; la toma y desciende. Debajo hay mil caras negras, deformadas, horribles que le ruegan algo que él no alcanza a escuchar. Al acercarse más a ellas, la liana se rompe y él cae al vacío mientras las caras se lanzan sobre su cuerpo y comienzan a devorarlo. Espantado, abre los ojos. Todos sus compañeros de ritual se han ido o, al menos, él no los ve. Los árboles lo rodean y las ramas y las lianas se entrelazan. Rajiv siente una presencia a sus espaldas y al darse vuelta ve, con ojos borrosos, al espíritu de la madre-planta enfrente de él, con la forma de una gigantesca serpiente. Piensa -aunque en ese momento ese verbo es imposible de conjugar- que la naturaleza viene a descubrirle la trama secreta del universo. Cuando la serpiente abre la boca, se dibuja una cara hecha con la savia de la selva y el agua dulce del río. Al peregrino le resulta familiar. La serpiente habla:

-¿Estás listo?, pregunta.

Y en ese animal Rajiv descubre la figura de Hari y, aunque no lo conoce, sabe que es su padre, el sabio de la tribu de las dolientes. Esa noche duerme con la conciencia tranquila.

Al otro día, da el primer paso para el regreso. Se despide del chamán, quien lo interroga con los ojos.

-Ayer me vi morir, dice Rajiv.

-No siempre recibirás lo que quieras, sólo lo que necesites, sentencia el curandero, que lleva al Yoda de plástico como colgante.

Rajiv se dice entonces que se convertirá en el primer hombre de la compañía de las que lloran. Regresará al Nepal y completará el entrenamiento necesario. Se permite tener deseos por un momento y piensa que le gustaría que su madre estuviera orgullosa de él.

El retorno a Nepal no tiene sobresaltos.

Y así, la historia de las que lloran.

Pero la historia de Rajiv no estaría completa sin que informemos de las aventuras de Mary P. Watson en las regiones remotas del Nepal.

Mary, cuyo nombre significa "la elegida", nace en Bombay. Cuando tiene dos años, su padre es convocado al gabinete del nuevo primer ministro británico. Charles abandona su puesto diplomático y se traslada junto a su esposa hindú y a su pequeña hija a Londres. Allí inicia una promisoria carrera como ministro de finanzas, carrera trágicamente interrumpida por los atentados al *tube* londinense del 7 de julio del 2005. Ese día, sus padres deciden hacerle caso a los medidores de encuestas y aceptan mezclarse con la gente y viajar en el sistema de trenes subterráneos de la ciudad para cultivar su imagen pública. No alcanzan a llegar a destino. La imagen más nítida que Mary tiene de su infancia es la de dos altos bobbies, de cara seria y ojos húmedos, inclinándose hacia ella para abrazarla y darle el anuncio.

Es natural que alguien se interese por la muerte y sus efectos cuando queda huérfana a los ochos años. Una tía cría a la niña y enseguida descubre que a Mary le gustan tres cosas: investigar, escribir y hacerse notar. La escuela para ella es una mera formalidad y es ahí donde la maestra le pone el apodo de pluma veloz, por la rapidez con la que la estudiante escribe las tareas de historia o los ensayos de filosofía. Es precisamente cuando redacta uno de estos informes en su último año de escuela secundaria que se encuentra con una referencia al grupo de las que lloran. Dice el libro de texto sobre las religiones universales: *En ciertas áreas de Nepal, existe una ceremonia única para enterrar a los muertos mediante el uso de un cortejo femenino que acompaña al difunto a su lugar de descanso con una elaborada escenografía. Varios reportes de viajeros han mencionado este curioso detalle de la región pero, sin embargo, ninguno de ellos ha podido ser corroborado, debido a la resistencia de sus pobladores a lo que consideran el colonialismo de Occidente.* En ese momento Mary P. Watson coloca esa información como nota a pie de su ensayo "Rituales mortuorios fuera de lo común" (algún tiempo después, volvería a usar esos datos).

En la universidad, la muchacha ya sabe lo que quiere ser: reportera de la *National Geographic.* Mientras cursa sus estudios, hace sus primeras armas en la revista como auxiliar de los fotógrafos, pero gracias al talento de su pluma veloz y a las conexiones políticas que supo tener su padre, escala posiciones y pronto escribe su primer artículo para esa publicación. Su nombre comienza a ser reconocido, pero a ella lo que más le interesa, lo que siempre tiene frente a sí, es estar con la muerte cara a cara, para insultarla, para reclamarle por sus padres, para conocer que hay detrás. Convence al director de la revista que le deje un espacio para escribir una columna que se llame "Viva la muerte", dedicada a los modos que tienen distintas comunidades de velar y cuidar a sus difuntos. Aunque la apuesta implica un riesgo y una inversión debido a los viajes, el director cree en su talento y le dice que sí.

Al año siguiente, Mary es una de las más destacadas escritoras de la *National Geographic*, con un estilo basado en entrevistas "incisivas y elegantes a la vez" (BBC) y miles de seguidores en Facebook y Twitter. Un día, revisando papeles, se encuentra con el viejo apunte de las que lloran. Algo en su interior le dice que ya es tiempo de honrar la herencia materna. Consigue la autorización para ausentarse de Londres unos días y viaja al Nepal. La travesía es ardua, pero su objetivo es claro.

Llega a la región el mismo día en que Rajiv irrumpe en la aldea y provoca un escándalo mayúsculo. Ganesh recibe a la reportera de *National Geographic* y le cuenta los pormenores de la situación. Mary diagrama cuidadosamente su plan y agenda para los siguientes días una entrevista al muchacho de pies veloces y otra al sabio de la tribu.

La cita es las cinco de la mañana. El sol de Nepal todavía no ha salido. Ganesh guía a Mary hacia la choza de Rajiv. La periodista lo encuentra en posición de loto, meditando. Admite para sí que la pose perfecta, la respiración profunda y el aura pacífica la impresionan. Su interlocutor abre los ojos y le dice que las sombras revelan la luz. Y le dice que pase. La mujer de la pluma veloz entiende que esta no será una conversación común y corriente y piensa que eso está bien. Enciende el grabador y la entrevista comienza. Rajiv declara que ya sabe por qué ha venido Mary P. Watson -así pronuncia el nombre, completo- a las regiones remotas del Nepal. Ella se estremece, pero dice, ah sí, en tono interrogador. Él explica que Mary viene a buscar la verdad, aunque no lo sepa. Ella respira, algo aliviada de que Rajiv hable en enigmas y máximas. Pero él la sorprende porque va al grano: ha viajado a la aldea a comandar al grupo de las que lloran y a presidir el primer entierro ejecutado por una compañía de hombres y mujeres. El muerto será Hari, quien ya ha sido informado. Un poco sacudida por la declaración, Mary no puede impedir la seguidilla de preguntas, método que sabe inadecuado para producir entrevistas que parezcan naturales: ¿Cómo se ha llegado a esta determinación? ¿No va en contra de la naturaleza de las dolientes que un hombre se sume a la compañía y, lo que es más, se convierta en su jefe? Y, por sobre todas las cosas, no quiere pecar de colonialista o demasiado occidental pero ¿no es altamente peligroso y hasta inmoral anunciar el asesinato de otro? Rajiv responde con un largo discurso que puede sintetizarse de la siguiente manera: gracias a la meditación zazen y a sus tres peregrinajes, ha comprendido que la emancipación espiritual llega a partir de la destrucción del hacer y la construcción del ser. Por esto es necesario que hombres y mujeres se deshagan de categorías como hombres y mujeres y actúen en un plano de igualdad total, eliminando cualquier vestigio de discriminación o juegos de poder. Y Hari merece irse con todos los honores, tiene ya ciento dieciocho años y pasará a la historia como el hombre más viejo de Nepal. De ninguna manera ha solicitado su asesinato, sino que le ha enviado con Ganesh una poción para que pueda dormir dulcemente y se despierte en la eternidad. Mientras dice esto, la cara de Rajiv se ilumina. Y continúa, y dice que ojalá que esto sea *off the record* pero que también algo de venganza hay porque el miserable de su padre jamás se dignó buscarlo y violó a su madre y, además, ahora que Mary está aquí, quiere comunicarle que si ella quiere asegurarse la nota, la tapa de la *National Geographic* debe ser para él, Rajiv, la cara de esa región remota del Nepal. *Yo he visto salir las almas de los cuerpos en el Amazonas*, dice Rajiv, *y la de este hijo de puta va a salir, quiera o no.* Mary detiene el grabador, le da las gracias al entrevistado y, al dejar la choza, exhala.

En la noche, Rajiv medita en su posición acostumbrada. Una sombra pasa por detrás de él y tiene una sensación incómoda, como si la sabiduría que todos le reconocían y que él mismo atesoraba, no lo protegiera de cara al futuro. Imagina que muy pronto se concretará el camino principal, ese que lo señala como instrumento para los otros. Y mientras juega a adivinar los colores de la portada de la *National Geographic* y el paisaje que usarán de trasfondo para la fotografía, siente que una soga delgada se cierra sobre su garganta. Recuerda que siempre ha dicho que en la vida hay que saber caer, pero ¿y en la muerte? Su cuerpo, expulsado del mundo, se desliza hacia un lado, lentamente, y Rajiv cree ver a toda la humanidad como un estanque de flores de loto azules.

Al otro día, Mary se dirige a la choza de Hari pero nota un alboroto de personas y animales reunidos a su alrededor. Ganesh le da la noticia del asesinato de Rajiv y también le cuenta que el sabio de la tribu ha decidido ser él quien encabece el cortejo de las que lloran para enterrarlo a la mañana siguiente. La de la pluma veloz pregunta si todavía podrá entrevistar a Hari y el mensajero le pide que aguarde unos minutos. Entra a la choza; al poco tiempo, le hace el gesto a Mary para que se acerque.

Hari está sentado en una especie de trono, como si fuera un rey bufo. A ambos flancos, dos perros guardianes salivan con desidia. Antes de que la entrevistadora pueda hacerle la primera pregunta, él ya la ha desvestido con la mirada. Mary Watson, le dice, es un nombre muy inglés, ¿no?, pero no es usted totalmente inglesa, ¿no? La periodista aclara que su madre era hindú y Hari dice que es obvio. Comenta que él siempre estuvo muy interesado en lo inglés, sobre todo en el cine. Luego cambia abruptamente de tema y declara que la meditación es una gran pérdida de tiempo y es peligrosa y para muestras hay que ver lo que le pasó al pobre Rajiv. Mary decide no antagonizar a su anfitrión y le pregunta por las que lloran. Él la mira fijamente, observa el techo y la vuelve a mirar. Lo bueno de la vida es que se acaba, señorita, exclama y se exaspera. El ser humano es el único animal que entierra a sus muertos y yo pensé que podíamos ser especiales, y lo hemos sido y las dolientes ahora tienen una reputación gracias a mí. Por eso está usted aquí. Durante años traté de hacer una compañía más justa, más igualitaria. Pero el maldito sindicato me lo impedía; usted lo sabe, las mujeres son terribles. Pero esto se acaba. La llegada de Rajiv solucionó en cierto modo las cosas; la propuesta era algo muy difícil de aceptar pero ¿qué es el destino de un hombre ante la reputación de todo un pueblo? Nos habíamos puesto de acuerdo, pero su muerte cambia todo. Hari detiene su monólogo, acaricia la cabeza de uno de los perros, y sigue. Mary le pregunta por el futuro. Las que lloran son nuestra tradición, dice el sabio de la tribu, nuestro escudo contra la penetración ideológica foránea. Tenemos una gran oportunidad de dar el ejemplo y de convencer al mundo que no sólo pueden llorar las mujeres, demostrando así el avance de nuestra civilización que ustedes piensan atrasada. Nosotros los hombres también lloramos y lo vamos a demostrar precisamente en el entierro de Rajiv que volvió a redimir a su madre, que supo más que nadie los sufrimientos del cuerpo y los procesos de la muerte. Y ya que está aquí, aprovecho y le pido muy especialmente que considere ponerme en la tapa de la revista para la que usted escribe como el símbolo de las regiones remotas del Nepal y jefe de las que lloran, le dice Hari a la de la pluma veloz mientras le pone una mano sobre la rodilla. Ella no se sobresalta y lo invita agregar algo más *off the record*. Él le pregunta si conoce la mitología hindú, ella dice que algo, y él menciona al demonio Ravana, un ser poderoso, dice Hari, a veces yo me siento él. Otra cosa más, pide, y ella asiente. Entonces él se inclina hacia delante y con voz de amenaza habla escupiendo y dice estoy al tanto de los planes de la puta de Parvati y del acólito de su hijo, los vi venir y los hice caer en la trampa porque conmigo no van a poder, ¿entiende? y además Ganesh, ¡Ganesh! ¡Ganesh!, llama Hari, ah, bien, ahí entra, dice, mi mensajero ahora me está trayendo la ayahuasca, la soga de los muertos, porque quiero saber todo lo que sabía Rajiv, quiero ser el mejor de todos, y el sabio de la tribu toma la vasija que le da su fiel ayudante y se siente poderoso. Se relame y mira a la periodista.

Pronto siente una opresión en la garganta. Sus ojos están revueltos. Más allá de los efectos físicos, algo más parece perturbarlo. Mary P. Watson, dice, y pregunta ¿la P. de qué es? Ella detiene la grabación, recoge su cuaderno de notas y explica que la P. es de Parvati y eso que te tomaste no es ayahuasca, querido.

Sale. La noche es cerrada y sin estrellas. Le hace el gesto a Ganesh, quien ingresa y comienza a coser los párpados de Hari a sus cejas.

Al amanecer, las que lloran depositan los dos cuerpos en el aljibe de ladrillos blancos que alberga un terrible secreto. Desfilan, realizando la acostumbrada ceremonia *¿Por qué ¿Por qué?* (bajo) -*Ayyy* (alto) -*¿Por qué? ¿Por qué?* (bajo) -*Ohhh* (alto), a pesar de que no habrá entierro, a pesar de que dejarán esos cuerpos para el alimento de los buitres. Previo acuerdo con Mary, las dolientes permiten que Ganesh le tome una foto a la reportera en medio de padre e hijo para la portada de la *National Geographic.* La periodista ya imagina el comienzo de su artículo: "En el libro *Las religiones universales* se dice que la antigua ceremonia de las que lloran, practicada en ciertas áreas del Nepal, nunca había podido comprobarse. Este artículo terminará con la fábula y ofrecerá la verdad".

Mary P. Watson vuelve a lo real y derrama una lágrima. Para la foto, claro.

Hari reencarna en Yoda, el muñequito de plástico que el curandero amazónico usa como talismán; piensa que se ha convertido en una forma superior porque ahora tiene los poderes de Occidente. Rajiv reencarna en el lodo del que surge la flor de loto y está contento de no tener cuerpo. Parvati reencarna en una sindicalista, pero, metafóricamente, vive en Rajiv y en Mary. Mary no reencarna, pero sabe que hay muchas maneras de obtener la inmortalidad.

Las dolientes se disuelven como en un sueño.

Y así, la historia de las que lloran.

• • •

Fidelidad

Los ataúdes subían y luego comenzaban a moverse hacia abajo como un magma. Los que iban primero se atascaban en el cauce, que era muy estrecho, pero la fuerza de los que venían detrás se imponía y creaba un nuevo camino.

Era cuestión de tiempo hasta que las aguas nos taparan.

Los cajones bajaron con rapidez y quebraron las puertas. Y luego se transformaron en una ola enorme y lenta que avanzaba sin pausa. De pronto, me pareció ver algo que se movía junto a los ataúdes. Pensé que estaba presenciando un castigo apocalíptico. Pensé que alucinaba. Pero no.

Efectivamente, había algo.

Eran perros. Nadaban con destreza, acompañando. ¿Acompañando qué? Y entonces entendí: las cosas volvían a su origen; los perros a sus amos, los amos a sus perros.

Sentí un ruido, como si tocaran a la puerta. Cuando me di vuelta y miré hacia las escaleras, hubiera jurado que mi perro me sonrió.

• • •

II

El resto es literatura

Lo peor es cuando terminas
un capítulo y la máquina de
escribir no aplaude.

Orson Welles.

Pequeño Larousse de escritores idiotas

A
Arcé, Witold
Vida

El escritor luxemburgués Witold Amadeo Arcé estuvo destinado al éxito desde un principio. Los anaqueles de la biblioteca familiar, llenos de gruesos volúmenes, nutrieron la imaginación del joven Witold, quien desde la infancia exhibía características literarias: lecturas en silencio; incursiones en el sector para adultos de la biblioteca; enfrascamiento, contumacia, onanismo, misantropía.

Las primeras tentativas de Arcé no fueron sustanciales. Hubo un comentario descriptivo sobre *Madame Bovary*, un ensayo sobre las diferentes gradaciones de la tragedia en la obra de Dostoievski y una novela lacrimógena que, de acuerdo al testimonio de su madre, Witold arrojó a las llamas en un juvenil acto de purificación[15].

El día en que, ya con veinte años, se encontró con el extraño hombre de ojos zarcos, su vida tuvo un vuelco. El hecho ocurrió en un baño público y la frase, pronunciada a regañadientes y en voz baja, impresionó al joven que buscaba su camino. Según sus biógrafos, Arcé experimentó una anagnórisis que definió para siempre su trayectoria literaria.

Obra

La obra de Arcé se divide en tres partes: *Mingitorios I, Mingitorios II y Platón y el pantalón.* Los textos de *Mingitorios I*, graficados en baños de los alrededores de su ciudad natal, son breves enigmas que

---

15 N. del Ed.: Otros refutan la existencia de la novela.

funcionan a partir de la condensación y de la paradoja, como por ejemplo el relato 26:

Aquí estuve yo. Firmado: yo.

Otro texto representativo de este período es el 30, donde se lee:

Escupa para abajo.

En esta etapa de la producción literaria de Arcé, los críticos destacan la crisis de la subjetividad y la búsqueda de la propia expresión.

La segunda fase de su carrera literaria está rubricada por la fama de sus *performances*. La escritura de Arcé, iniciada en el pudor y en el secreto, se transformó en un espectáculo al que acudían turbas de hombres y mujeres, estas últimas permaneciendo apropiadamente fuera del baño. El resultado de estas elaboradas escenografías fue *Mingitorios II*, libro que recoge unidades de sentido autosuficientes. Para muchos de sus lectores, son lo más valioso de su obra. Véase, por ejemplo:

52

Las paredes blancas me inundan.
El vacío al horror es demasiado poderoso.
Y así, termino un día, más escribiendo,
en el lóbrego lodazal, de mi impericia.

La experimentación sintáctica, el manejo híbrido de la puntuación y la temática existencial que hallábamos en un texto como el anterior desaparecen casi por completo en *Platón y el pantalón*. Aquí, en cambio, destaca el uso de un lenguaje directo y sin concesiones, como ejemplifica el relato 70:

Para pasarlo bien, 774-3275.[16]

Aunque la crítica reconoce el esfuerzo del escritor por dar un giro radical a su estilo, los textos agrupados bajo el tutelaje del filósofo griego son los más débiles de su obra, con errores de coherencia y cierta inclinación al golpe de efecto. Se especula que estos deslices pudieron tener su causa en el trauma sufrido por Arcé.

Final

La noche en que Witold Amadeo Arcé fue castrado por un grupo de asaltantes señaló el comienzo del fin de sus *performances* y de su escritura. Amigos y familiares pusieron en marcha la recopilación de sus textos en el gran paredón erigido en su honor en La Haya, donde copistas voluntarios se dedicaban a cincelarlos pacientemente. Pero este homenaje no logró postergar el trágico final.

Witold Arcé se suicidó sin dejar nota el 27 de enero de 1969, cortándose las venas en la bañera de su casa en Reims, Francia. Tenía 32 años.

---

16 N. del Ed.: Los críticos no se han puesto de acuerdo sobre el significado de esta combinación numérica. El único hecho comprobado es que este no era el teléfono de Arcé.

D

Denmore, Elizabeth

Vida

La escritora neoyorquina Sylvia Elizabeth Denmore canalizó su vocación artística relativamente tarde. Miembro de una familia judía integrante de la *upper class* de la Gran Manzana, Denmore fue educada en las mejores escuelas y academias y también recibió una adecuada preparación en cortesías sociales y lenguas extranjeras. A los dieciocho años, tuvo la primera revelación: el dinero -no solamente el dinero de sus padres, sino todo el dinero- le asqueaba. Esta certeza produjo dos efectos determinantes para su futuro. Por un lado, despertó su curiosidad sobre actividades desprovistas de valor según la lógica de los tiempos que le había tocado vivir. Por el otro, la volcó hacia causas comúnmente denominadas "perdidas".

Resulta imposible referirse a la vida de Denmore sin mencionar su matrimonio con el escritor nicaragüense Andino Suárez. Conoció a Suárez en su primer viaje a América Latina y, quizás acusando el impacto de la naturaleza salvaje, se enamoró del laconismo de su futura pareja. La sola biografía que tenemos sobre Denmore insiste que este fue el único momento de idilio entre ambos. Suárez aceptó dejar su país no sin antes pactar las mejores condiciones posibles para su escritura en Estados Unidos, proyecto al que Denmore se adhirió con entusiasmo. A partir de su llegada a Nueva York, el ascenso literario del nicaragüense fue fulgurante, gracias a un discurso que hacía las delicias de los lectores. Suárez publicaba novelas sobre el pájaro de bronce que trajo diez años de sequía al pueblo de Titilipén o sobre el chamán Genaro, quien hizo que la guerra entre los países se detuviera con sólo alzar el dedo índice. Entretanto, Denmore hacía las veces de anfitriona de galas a beneficio de los indigentes en los países del Tercer Mundo; según los testimonios, ella misma cocinaba exquisitamente los platos.

Obra

A los cincuenta años, el magnetismo de la letra -y, murmuran los maledicentes, del éxito obtenido por Suárez- fue atrayendo a Denmore cada vez más. ¿Qué mejor que la escritura, una actividad sin valor y una causa perdida?, se preguntaba. Su primer intento fue una novela de trescientas páginas llamada *Armisticio* que, según cuenta su biógrafa, recibió un juicio lapidario por parte de su pareja: "Es mejor que sigas leyendo", le dijo Suárez a su esposa. No hay trabajos críticos sobre esta obra. Denmore buscó refugio en el alcohol y en una práctica que tenía desde niña: las tarjetas de cumpleaños. Las redactaba en forma de espiral partiendo de las palabras que se encontraban en su interior. La composición de breves frases rítmicas le permitía distraerse y servía de consuelo para su melancolía.

Una tarde en la que paseaba por una tienda de regalos, experimentó una segunda revelación. Un hombre misterioso, alto y de ojos penetrantes, se le acercó y le entregó un sobre con una tarjeta dentro. Denmore supo que allí, en ese papel, había una clave.

La obra completa de Denmore, recientemente traducida al castellano, consta de dos volúmenes: *Tarjetas para el futuro* y *Tarjetas recobradas*. Denmore decidió trabajar en dos libros conjuntos ya que, según su estimación, había perdido demasiado tiempo dedicándoselo a la gente equivocada, como indica en una carta del 8 de marzo de 1969 a Isabella Dunne, donde los llama:

...esos pobres imbéciles que ni siquiera saben leer y que nunca lograrán salir de su atraso.

Por otra parte, entendía que debía recuperar a los que había olvidado, según testimonio de la tarjeta de cumpleaños a su primo Ronald Whitehead, el 1 de abril de 1970:

Los que realmente me necesitan son mis amigos, mi familia, mi gente (si hay alguien que me lee son ellos).

Así, mandó a pedir todas las tarjetas de cumpleaños que había enviado a su círculo afectivo desde los quince años. Luego comenzó una desenfrenada carrera contra el reloj, escribiendo tarjetas hasta con cinco años de adelanto. La turbación de Suárez ante las actividades de su esposa tiene una correspondencia en la biografía de Denmore, donde se comenta que la escritora había ingresado en un trance demoníaco y pasaba días y noches haciendo espirales, según su esposo.

Tarjetas recobradas comprende un período de treinta y ocho años y recoge ciento doce manuscritos. Se sospecha que hay alrededor de doscientas tarjetas más, ya que no todos los familiares y amigos respondieron al pedido de Denmore[33]. Durante su adolescencia, las tarjetas, como era de esperarse, no pasaban de ser salutaciones formales; así, por ejemplo, la del 24 de julio de 1935 a su tía Gertrudis Epstein:

Querida tía: Espero que te encuentres bien y que pases un día muy bonito. Desde aquí te recordamos siempre. ¡Feliz cumpleaños! Tu sobrina, Sylvia.

Después del viaje a Nicaragua y del encuentro con Suárez, las palabras incluidas en las tarjetas adquieren cierta urgencia y empiezan, según la crítica, a establecer su valor literario. Como

33 N. del Ed. Varias tarjetas han sido retenidas por allegados a la familia Denmore con la esperanza de poder subastarlas.

muestra, puede citarse la tarjeta de Denmore a su amigo Juan Schuster, del 13 de enero de 1944:

Querido Juan: ¡Cuánto sufrimiento hay en el mundo! Sin embargo, yo he visitado los abismos del ser humano y sé que la luz existe. Para ti, mi deseo es que esa luz te ilumine. Que los cumplas muy feliz. S.

La rebeldía ante las normas establecidas, el descubrimiento del otro, los avatares de una relación matrimonial tortuosa y el surgimiento de la conciencia femenina son todas variantes temáticas señaladas por los críticos en esta parte de la obra.

Las doscientas *Tarjetas para el futuro* se escribieron en un período de seis meses. La mayor conciencia que tiene Denmore de su destino de escritora, ligada al deterioro de su relación con Suárez y a una creciente psicosis, hacen de este corpus un tramo irregular pero significativo de su trayectoria. En la tarjeta del 19 de febrero de 1970 a su amiga Francesca Frangipane, esgrime:

Este hijo de puta de Andino sigue escribiendo las mierdas latinoamericanas del ranchito, la vaca y el volcán mágico. Somos ricos, pero el dinero no hace la felicidad. Que lo pases bien, S.

En la tarjeta del 25 de abril del mismo año a su hermano Joshua, es notable la firmeza del proyecto literario de Denmore:

Hermano mío: Verdaderamente, abril es el mes más cruel. Estas tarjetas, que causan mi persecución y mi sufrimiento, son para la posteridad, para los que entienden… para ti. Cuídate. Te abraza en tu cumpleaños, tu hermana S.

Final

Sylvia Elizabeth Denmore no alcanzó a gozar de los frutos de sus quehaceres de escritura. A poco de haber logrado que una casa editorial se interesara por publicar su obra, surgieron los juicios de Hallmark y de otras compañías dedicadas al rubro de cumpleaños, condolencias y para toda ocasión. Mediante una serie de entramados legales, vaciaron rápidamente la fortuna de los Denmore-Suárez. Denmore, estoica, siguió manteniendo que el dinero no le interesaba[34].

El 25 de octubre de 1970 Andino Suárez encontró a su esposa con la cabeza metida en el horno de la cocina. A su lado, una última tarjeta:

Quise cocinarte un pastel de mí. Feliz cumpleaños, S.

---

34 N. del Ed.: Suárez recuperó parte de la fortuna al hacerse cargo de la edición de las tarjetas.

G

Grande, Aníbal

Vida

"También sé, dijo Cándido, que tenemos que cultivar nuestro jardín". Esta frase de Voltaire abre el cuaderno de anotaciones de Aníbal Federico Grande.

Los cronistas de la vida y obra del escritor piamontés se han esmerado en confundir y en borrar huellas. Sin embargo, puede afirmarse que Grande tuvo una infancia feliz, con dos esforzados padres labradores de la región de Piamonte cuya preocupación cotidiana era asegurarse que la familia tuviera comida en la mesa. Algunos testimonios indican que Grande era un muchacho al que le gustaba mirar de frente la salida del sol y hacer sufrir a los animales.

El destino literario de Grande fue producto de una casualidad. Como siempre, se había levantado temprano y, mientras recogía la cosecha de la temporada, vio acercarse a un hombre de barba rojiza.

-¿Qué es eso?, preguntó Grande, al ver que el hombre sostenía algo.

-Un libro, le dijo el viejo, sin burlarse de él.

Grande le preguntó al viejo para que servía. Por toda respuesta, el viajero le leyó la frase casi final de la historia del *Cándido*. Con alguna dificultad, los historiadores han podido reconstruir lo que ocurrió. Grande se puso blanco y sus ojos se desorbitaron.

-Puedes quedártelo, dijo el viejo.

-He descubierto lo que significa vivir, contestó Grande.

Ese día decidió abandonar Piamonte.

Obra

Grande trabajó en varios oficios: panadero, vendedor

ambulante, lavacopas. Las primeras anotaciones de su cuaderno describen el quehacer cotidiano:

Martes. Vuelvo del campo. Mañana me alejaré de este pueblo.

La crítica distingue en estos primeros fragmentos una creciente autorreflexión sobre su ser y sobre el acto mismo de la escritura. Grande se desplazó de lugar en lugar con una inquietud cada vez más acuciante: continuar y completar la frase que encierra los misterios del mundo. En un momento se dio cuenta de que debía expulsar lo que estaba naciendo de sus entrañas pero la vida le ganaba a sus anotaciones. Los traslados fueron más frecuentes, la energía no era la misma y Grande tuvo problemas para continuar con su misión.

Escribe en su cuaderno:

No hallo respuestas a mis preguntas. Mis obligaciones obstaculizan la búsqueda. ¿Cuál es el lugar que se define por exceso de tiempo? Hacia allí debo ir.

Grande se horroriza ante lo pensado, pero la decisión estaba tomada.

La víctima fue elegida al azar; en Grande no hubo ni remordimiento ni satisfacción. Cuando vio los paredones y los alambrados de púa, sintió que había conseguido lo que se pierde constantemente: tiempo. Grande creía haberse asegurado el futuro, pero ese hecho no lo ayudaba a crear las frases que acompañarían la sentencia de Cándido. La crítica ve en este período un énfasis en la imposibilidad de la comunicación y una angustia creciente. El cuaderno señala su malestar con respecto a la tarea que se había impuesto:

Tengo tiempo. Y el poema no aparece. Me siento solo.[50]

Final

En otra página, Grande se detiene en una peculiaridad del lugar que habita:

Rodeando al patio interior de la cárcel, amanece el jardín, cultivado. ¿Cómo puede existir tal belleza en este lugar abyecto?

Súbitamente, llega el reconocimiento: la frase de Voltaire no podía, no debía ser continuada por él. Era para otros. Grande vio esto como una liberación. Las últimas líneas de su cuaderno lo explican:

Muere Grande, cae mi nombre, y nace Grandi, un otro que sí podrá llevar a cabo la misión. La frase será para que otros la completen, la tuerzan, la revuelquen en el fango de la vida. Grandi les llevará el mensaje.

El 6 de enero de 1955 los guardias advierten un curioso cambio en los ojos de Aníbal Federico Grande, cambio que adjudican a su prolongada exposición al sol del jardín. Dos semanas después, es liberado.

• • •

---

50 N. del Ed: Aunque no hay mucha información sobre este poema ya que Grande nunca discutió sus pormenores, los críticos coinciden en que este sería el texto capital de su obra, el poema sobre el significado de la existencia que lleva toda la vida escribir. Grande no estaba al tanto ni de la larga tradición de escritura carcelaria ni de la aun más larga lista de escritores que se ocuparon del sentido final del ser humano.

Gestos mínimos del arte

El 6 de abril de 1252 el fraile dominico Pedro de Verona y un acompañante que las crónicas mantienen anónimo se trasladan de Milán a Como. Pedro cruza el bosque de Farga con el mismo celo con el que pulveriza a los herejes cátaros, esos impíos maniqueos que contaminan el arte de amar a Dios. El bosque y los cátaros se parecen; son escollos que oscurecen la verdad divina.

Los viajeros hacen un alto y Pedro siente que la naturaleza rodea su cuello con las ramas de los árboles. ¿O acaso son las voces que no lo dejan en paz desde la primera condena?

Salen a su encuentro dos hombres. Pedro comprende que, aunque acaben robándolo, no son ladrones. Su compañero finge extrañeza y temor, finge no haber sabido.

Lo que sigue sucede con una velocidad lenta, como si los protagonistas representaran un hecho ya ocurrido. Hay un forcejeo. El falcastro cae sobre la cabeza del fraile y este, de rodillas, vuelve sus ojos al cielo. Su acompañante huye porque el martirio de Pedro así lo exige. Uno de los agresores -Piero Balsamono o Auberto Porro, da igual- pisa la túnica del fraile y alza el brazo.

Pedro de Verona junta sus manos y, mientras siente el rumor cálido de la sangre, comienza a recitar: *"Pater noster qui es in coelis. Santificetur nomen tum. Adveniat regnum tuum..."* Los emisarios de los cátaros detienen su ataque por un momento y Pedro vislumbra el futuro. Pinta el índice de rojo y escribe en el suelo de su agonía: *Credo in Deum.* Sobre él cae otro golpe de hacha y varias puñaladas, provenientes del horror y de la necedad.

Pedro de Verona, ahora sí, mártir, muere. Tiene 46 años.

Un padre pone en manos de su hijo un pincel. Este lo mira,

intrigado por ese cuerpo de madera sin brillo y de plumaje revuelto.

Entre 1526 y 1530 se le encomienda a Tiziano un altar para la iglesia de San Juan y San Pablo. Escoge pintar el martirio de Pedro de Verona. Al terminar la pieza, comprueba que ha plasmado la angustia, la violencia y la fe del episodio como si hubiera sido testigo de él. El presunto ladrón ya ha golpeado a Pedro, su compañero huye y el mártir levanta la vista hacia los ángeles que han sido enviados para llevarlo al reposo eterno. El dinamismo patético del paisaje y de los hombres anuncia una nueva era en el arte. Mientras Tiziano mira el cuadro, un murmullo que no alcanza a reconocer parece abrirle el mismo camino celestial que recorriera Pedro.

Mucho tiempo después, habiendo sido protegido por los duques de Ferrara y de Mantua y por Felipe II, habiendo mentido sobre su edad para aparentar la sabiduría que dan los años, habiéndose convertido en el artista supremo de Venecia, Tiziano pinta *La coronación de Cristo*, su último cuadro. Es 1576 y la peste azota la ciudad. El tiempo se acaba. Trabaja sobre la corona de espinas cuando los síntomas se apoderan de él, derribándolo al piso en espasmos. En su delirio, Tiziano toma el pincel e intenta dar un toque más a su obra, pero cae nuevamente, esta vez boca arriba, con los ojos vueltos al cielo.

Mientras está muriendo, ve cómo dos ladrones ingresan a su taller del palacio Barbarigo. De pronto, uno de ellos se detiene frente al viejo y le dice algo. Con la vida que da el momento final, Tiziano apresa el pincel que le había regalado su padre. Venecia arde en llamas y en peste; el mundo se acaba. Los hombres huyen sin tocar el cuadro inconcluso.

Tiziano es enterrado con pompa en la iglesia de los Frari. Es el único cuerpo que por orden del Senado veneciano no se quema. Y aún conserva el pincel entre las manos.

Pedro Antonio de Alarcón necesitaba sincerarse. Escribe en el prólogo a las *Obras completas*, de 1894:

No me bastaba la creciente ganancia material; no me bastaban el aplauso de los buenos y el fervor del público anónimo; ni tan siquiera me bastaban el desdén que sentía hacia algunos de mis adversarios y la convicción que abrigaba de que los otros procedían por espíritu de secta. Quería la paz.

Alarcón era rico porque en algún momento de su vida había sido valiente. A los veintiséis años, como corresponsal de guerra, reportó la incursión española en Marruecos. La publicación por entregas de su *Diario de un testigo de la guerra en África en El Museo Universal* en 1859 fue tan exitosa que mientras el joven periodista estaba en el frente recibió más de veinte mil cartas de lectores. En el campamento español, y a punto de partir, Alarcón se pregunta qué hacer con todos esos mensajes. En un segundo, se decide: toma un "baño de humo" y quema sin remordimiento las cartas. Al regresar a España se lo condecora con la Cruz María Isabel Luisa.

Tiempo después, el escritor viaja a Venecia y la reconoce como la ciudad de sus sueños. Visita la iglesia de San Juan y San Pablo, ve el cuadro que narra el martirio de San Pedro y se entera de los últimos momentos de Tiziano. Hay algo en esas historias que ahonda la carencia de Alarcón. A partir de ese momento, vivirá y escribirá para mitigarla, para intentar borrar aquella escena falsa en África.

Sus obras ya están completas. Pone punto final a su prólogo y abre un pequeño cajón de su escritorio. Mientras coloca la bala en el tambor, lo sacude un escalofrío. Alarcón comprende que lo perdurable se halla en el recuerdo del ataque al campamento de los españoles. En el fragor de la guerra, el joven corresponsal escribe uno de sus artículos. Sale de la tienda y ve a dos moros que corren hacia él. Uno de ellos lo mira como si lo reconociera y le dispara. Alarcón no desenfunda el arma; sólo atina a estrujar pluma y papel mientras mira al cielo y cae. Los hombres lo dan por muerto.

El balazo en el pie había extendido la obra, pero no la vida. La vida latía allí, en esa escaramuza olvidada de su juventud. El escritor firma y cierra el cajón con algo de alivio.

*

De vez en cuando, por las noches, en una ciudad sucia y violenta, ella escribe relatos que otros le comentaron, o transcribe pasajes que le gustan. A veces, hasta se atreve a pensar en historias que salgan de su propio ser, que sean extensiones de una vida dura o aburrida o miserable o azarosa.

Esa noche tropieza con un libro que su hija ha sacado de lugar. Hay un grabado de Venecia en la tapa. Lo lee y teclea: ***Pedro de Verona, Tiziano, Alarcón***. Historias que también son la suya. Eso es lo que, apenas, puede hacer. Desde la oscuridad, unos ojos la espían.

• • •

El señor de los velorios

La foto muestra a un grupo de personas de gesto serio. Junto a ellos, aparece el hombre de sombrero negro y bastón de punta de plata.

Hasta ese momento, todo transcurría según lo esperado: las voces bajas, los cuerpos encorvados, las miradas de cielo gris. El hombre no hacía nada; estaba perdido. La muerte de la niña lo había sorprendido como a todos. Sin haberlo pensado demasiado, había resuelto decir algunas palabras, justamente él, que no era de palabras.

Se acercó hasta el podio de la casa funeraria y apoyó las manos sobre el atril. Luego, cerró los ojos. Carraspeó. De su garganta salió algo semejante a la miel, sonidos en forma de bálsamos.

El muchacho vio en el orador de aquel día una voluntad de cambio, un intento de fuga hacia adelante. No sabía a qué atribuir esa sensación, tal vez era la mirada, como si el hombre pudiera adivinar senderos todavía no descubiertos, como si le hubieran revelado un secreto y estuviera dispuesto a protegerlo, a dar su vida por él, por ellos, los que ya no están.

Al llegar a la casa, el hombre estuvo sentado un rato en la mecedora con las manos sobre sus rodillas. Finalmente, se levantó y reunió a todos alrededor de la mesa. Anunció que renunciaría a su trabajo. Se había convencido de que su vocación era despedir a los que partían al más allá y consolar a aquellos que se quedaban en esta tierra. Mientras acariciaba esas frases, su voz vibraba y se elevaba y todo lo que decía era o parecía irremediablemente cierto.

Como si se hubiera dado cuenta de que la vida no estaba hecha solamente de palabras, hizo silencio y dejó que su público intentara comprender lo que les estaba proponiendo. Los rostros eran sólidos como lápidas. Tomó esto como una señal más. Dijo entonces que necesitaría tener un vestuario correspondiente a su nuevo oficio. Y también agregó que le haría falta un fotógrafo, porque los muertos tienen memoria.

Mientras las mujeres hacían la ropa, el muchacho decidió que, aunque no sabía nada de cámaras de fotos ni de cadáveres, desde ese momento sería el fotógrafo oficial del señor de los velorios. Pero en su cara asomaban la duda y las preguntas. ¿Por qué confiar en algo tan falso, tan liviano, tan efímero como lo que alguien dice?

El hombre, canoso ya, lo miró, frunció el ceño y le dijo:

-A las palabras no se las lleva el viento. Se quedan con nosotros.

Las mujeres se empeñaron en agregarle los detalles del sombrero y el bastón. Mientras se iba vistiendo, el hombre sonreía, satisfecho. Pidió que le tomaran su primer retrato.

Luego declaró:

-Estoy listo.

En sus comienzos, los panegíricos del señor de los velorios eran más bien modestos y accidentados. Los que llegaban al entierro o al funeral lo veían venir, con su traje negro, con sus zancadas, y en ellos crecía la desconfianza y el recelo. ¿Qué sabía este hombre que ellos ignoraban? ¿Por qué creerle? ¿Para qué creerle? En ocasiones, el dolor de la ausencia ahogaba los discursos del hombre de pelo cano. Otras veces, debido a la torpeza del muchacho, algunas fotos salían movidas. El hombre era paciente con su público y con su ayudante. Pensaba que los errores eran necesarios porque cada uno necesita hacer su propio camino.

La voluntad del orador todo lo pudo y la empresa comenzó a crecer. De los ritos familiares se pasó a los de los amigos, de los de los amigos a los de los amigos de los amigos y pronto la fama del señor de los velorios comenzó a extenderse más allá de aquel pueblo. Los pedidos de auxilio eran numerosos y el hombre casi no aparecía por la casa. El trabajo se multiplicó y el muchacho tuvo que dejar la escuela. Cuando volvió una tarde de nieve a contarles a su hermana y a su madre la noticia, no se sorprendió de encontrar la casa vacía.

Contagiado por el lenguaje que escuchaba, para justificar su nueva condición se dijo que la tarea encomendada requería de un espíritu de sacrificio como el suyo. Se fue acostumbrando a la vida nómade, a los paisajes de cruces o a los templos agrietados por el sol, al silencio de un momento que se repetía, pero que nunca era el mismo: el grupo, el señor de los velorios y él tomando la foto.

Los meses se acumularon y el álbum se transformó en la carta de presentación para los que necesitaban de sus servicios. El muchacho era quien se encargaba de conseguir los clientes, de convencer a las familias, de persuadir a los que sufrían de los efectos benéficos de las palabras, que podían más que mil calmantes para el dolor. El señor de los velorios, en tanto, parecía más y más alejado de lo terrenal, atento a lo que parecía decirle el horizonte.

El álbum también cumplía otra función: pasar sus páginas hacía felices a ambos porque, aunque las fotos siempre retrataban la misma escena, los dos, juntos, podían recobrar las historias ocultas detrás de ese grupo reunido en torno a una tumba o a un cajón. El joven sabía exactamente qué palabras se habían pronunciado en cada ceremonia; el hombre de pelo cano preguntaba el por qué de alguna pose o recordaba la luz de algún atardecer sobre un sauce.

El orador interpretaba un papel repetido en la ropa, en las entonaciones y en los carraspeos. Pero su capacidad de inventiva era notable; nunca se le había escuchado decir dos veces el mismo parlamento. Por eso, el asombro por parte de su socio crecía a la par de sus andanzas.

Al muchacho esa labor le parecía cada vez más imposible. Un día, juntó fuerzas y le preguntó:

-¿De dónde sacas tanta cosa?

El hombre le mostró un cartapacio color tierra donde guardaba sus discursos y, señalando hacia la colina de cruces, respondió:

-Ellos, mis muertos, me dan la letra.

Luego, impulsando su bastón hacia delante, le dio la espalda.

Llegó el día en que su ayudante abrió aquel cartapacio y fue el día en que odió al señor de los velorios. Fue también el día en que comprendió que aún no se ha inventado un lenguaje preciso para el dolor.

Hoy, el muchacho vuelve a mirar el álbum. La foto muestra un grupo de personas de gesto serio y un nombre en la lápida. Un nombre que es su nombre.

Se viste. Luego, se pone el sombrero negro y toma el bastón de punta de plata. Antes de marcharse, piensa en lo que daría porque su padre regresara y le diera letra.

• • •

Puta, o Las Lenguas

¿Qué me mirás hijo de puta, cabrón, pendejo, mamón? ¿Creés que porque me vas a pagar tenés derecho a una boca limpia? ¿No te das cuenta que estoy toda sucia? ¿O querés que te hable en caribeño, papi, así, chico, que sé que te gusta la papayita que te tengo guardada? ¿O lo hacemos a la mexicana y la metes recio en la panocha de la Adelita tan riquita? ¿O más internacional, *mon amour*? ¿Hablamos de follar o qué tal tipo *fuck me baby, yes, yes*? ¿No sabías que hablo varios idiomas? ¿No te imaginabas las lenguas que me lamen las tetas y los pelos, cientos y cientos de babas inmundas? ¿No ves cómo tengo la piel, seca de tanto que me la frotan? ¿Entendés que esto que querés te sale más caro, porque algunas noches puedo ser fácil, pero barata nunca? ¿Qué es realmente ser puta, nene?

¿Te da miedo meterte en el agujero negro? ¿No te conté las historias de Sergio, el tipo que se analizaba hasta los domingos? ¿No te dije que su psicoanalista se reía de él y después de la sesión venía conmigo y se acostaba en la cama y yo me ponía encima y él jugaba con mis pezones y empezaba a hablar de monstruos de un ojo que dormían la siesta en el jardín de su casa, de un enmascarado que entraba de noche y violaba a la hija y él le sacaba la máscara y veía su propia cara, de un viaje en tren por el espacio hasta llegar a Dios y Dios le preguntaba para qué mierda había ido? ¿No te parece un loco? ¿Sabés que te corre el tiempo, que me corre el tiempo acá en Las Lenguas, no? ¿No se te ocurre pensar que me cago en los billetes que me vas a dar? ¿O te creés que me gusta andar cambiando de posición o diciendo mentiras todo el tiempo? ¿O pensás que no me gusta?

¿No te conté cuando le quemé el culo al general? ¿No te dije que esa noche me cansé de que la rata esa me obligara a lamerle las botas y en cuanto acabó y se dio vuelta para un costado de la cama, agarré el cigarrillo y se lo clavé en el culo? ¿Y cómo no va a gritar carajo? ¿No son lindas las palabrotas? ¿Por qué no las usás, por educación o por cortesía? ¿No serás como el general, que cuando vino la primera vez me decía que me iba a cuidar y que me iba a contar cosas que nunca le había contado a nadie y después lo único que quería era pegarme y que le chupara las botas y los huevos? ¿Se pensaría que era como una de esas *prostis* con las que todo el pueblo se confiesa? ¿Qué es realmente ser puta, nene?

¿No te conté lo del profesor? ¿Cómo que qué profesor? ¿No te hablé antes del profesor Méndez, el que enseñaba instrucción cívica en el Colegio Nacional? ¿Podés creer, instrucción cívica en este país? ¿No te enteraste del caso, el respetado profesor que formaba a los alumnos para que tengamos un país mejor y ya se hablaba de candidatura política y una putita estudiante de él lo denunció, dijo que se la había cogido, y no le creyeron? ¿Sabés que a la pobrecita la encontraron ahorcada a medio enterrar en un campo, y después se descubrió que el ilustre profesor Méndez había organizado su pequeña red de prostitución con cinco de sus alumnas? ¿No te parece increíble? ¿Sabés que me escribe cartas desde la cárcel? ¿Qué le pasa a tu cosita, maricón? ¿No se iza la bandera? ¿Te tengo que hacer algún numerito, querido, meterme el dedo, o mejor te bailo un poco? ¿No te vas a confundir, eh, que yo no hago esto siempre ni me vendo al mejor postor, lo que hago lo hago porque quiero, entendés?

¿Me viste el culote que tengo, me lo vas a romper, no? ¿No te conté la historia del rusito? ¿Cómo que no? ¿Escuchaste alguna vez esa frase que dice que el final estaba muy lejos y que lo complicado acababa de empezar? ¿Sabés que viene de un cuento que me contaba siempre el rusito? ¿No te dije que subía a la pieza oliendo a ginebra porque decía que no encontraba buen vodka en la ciudad y se ponía a llorar y me recitaba el cuento como intentando explicarme que lo nuestro no podía ser? ¿Alguna vez te ataron a una silla y te sacudieron con un cinto en la cara y en los testículos? ¿No te dije que eso era lo que le encantaba al rusito y yo le pegaba y a él se le hinchaba el cuerpo como si se le fuera a salir con cada latigazo? ¿Sabés que hasta te puedo hablar un poquito de ruso que aprendí cuando él me tiraba ginebra encima y me lamía, mientras cantaba una canción dulcísima? ¿No te conté que un día apareció muy borracho y triste y me roció con algo, no sé si era ginebra, pero después encendió un papel de diario y me lo tiró encima el muy hijo de puta? ¿Podés creer que me empecé a convertir en una diosa azulada como dicen las compañeras pero igual reaccioné y saqué el revólver y le apunté entre los ojos y me pareció que me agradecía mientras se iba para atrás? ¿Viste qué fea la cicatriz? ¿Me da personalidad, no? ¿Te das cuenta que se te acaba el tiempo para acabar, no? ¿No te da vergüenza perderte semejante manjar, si querés hasta te doy un beso, porque eso de que las putas no besan no lo creas, a veces sí, hay algunos que necesitan cuidados especiales, viste?

¿Cómo te puedo ayudar? ¿Sabés, de verdad me estás dando pena, esa es la peor emoción para las putas, entendés? ¿Necesitás algo más fuerte? ¿No te conté la historia de La Loca? ¿Cómo es que no oíste hablar de la legendaria figura de La Loca, una adelantada en la profesión, defensora de nuestros derechos, antes de ella nada y no hay un después? ¿No oíste esta historia ya? ¿Me estaré poniendo vieja? ¿Sabés que cuando era más joven ascendí en los rankings y eso llegó a oídos de La Loca que era la número uno y entonces me desafió? ¿Qué, te estás imaginando un campeonato de encamadas paralelas, con hombres haciendo fila y la gente al lado alentando? ¿Sabés que no, que me propuso un partido de ajedrez, a mí me había enseñado a jugar un odontólogo que tenía dentadura postiza y a ella no sé pero habíamos apostado fuerte y el partido fue parejo pero al final me arrinconó al rey y bueno, me terminó metiendo los ocho peones blancos, porque tuvo el gesto de dejarme llevar las blancas, me los terminó metiendo en la vagina, yo nunca me los saqué, nunca los vi salir, qué creés, habrán salido? ¿Qué es realmente ser puta, nene?

¿Qué te parece si te comés a la Reina que tenés enfrente tuyo ahora, mi amor? ¿No será que nos vamos mimando un poco y entonces ya nada importa? ¿Quién se va a creer eso, no? ¿Cómo que ya no querés? ¿Ahora te voy a escuchar yo, no? ¿Entendés que cuando abra mis piernas y me huelas y empieces a soltar tus historias, recién entonces te vas a dar cuenta de para qué estás acá, en Las Lenguas? ¿Qué me mirás?

• • •

Cavilaciones sobre una relación que no se quiere abandonar pero todo tiene un límite

El pedido llegaría tal vez durante los paseos, cuando metiera las manos dentro del impermeable. O quizá mientras estuvieran en el café y se pusiera a hurgar nerviosamente en su portafolio, como era su costumbre. Seguramente no lo haría, tenía dignidad y no estaba en su carácter poner a alguien en aprietos.

Hubo momentos felices.

¡Cómo olvidar las tardes de reunión en la plaza con el sol en la cara, tiempo y espacio desdibujados, sólo queriendo hablar de lo leído! Por eso, no podía ser que ahora echara todo por la borda y se convirtiera en una persona como otras tantas, que se rebajara a lo vulgar, a lo fácil.

Pero era inevitable.

La historia tenía un final predeterminado, como el eterno retorno, un poco diferente pero siempre igual en la sustancia misma de los hechos. La amistad pasaría entonces a la utopía del recuerdo, que todo lo embellece y todo lo pierde.

Y el día llegó y dijo:

-Le traje un texto mío para que me lea.

Me di vuelta y le respondí.

• • •

III

Sin moraleja

*Hace ya mucho que decidí
no comprender. Si quiero
comprender, enseguida altero
los hechos, así que he resuelto
atenerme a ellos.*

Fyodor Dostoievski. *Los hermanos Karamázov.*

Un día en la vida de Mr. Black

Incrustado en la mañana, Mr. Black toma de a pequeños sorbos su café con leche ya frío, mientras la tostada que reposa en el hornito eléctrico va quemándose sin que se dé cuenta. Cuando las catástrofes de todos los días huelan, será demasiado tarde. No es un comienzo promisorio. Busca en su libreta y encuentra una frase apropiada para la situación: *No tengo ninguna de las cualidades que se necesitan para triunfar en la vida.*

Mr. Black la pone en el bolsillo del pantalón y monta su bicicleta (allá lejos y hace tiempo tuvo un automóvil que luego dejó al enterarse de los estragos que causaba en el medio ambiente aunque, a decir verdad, algo tuvieron que ver también las llamadas que recibía de sus acreedores, y todo esto explicaba que ya no contara con un auto).

Pedalea por la franja de pavimento que separa el cordón de la calle. Para esquivar al ciclista, los vehículos deben apartarse hacia la izquierda. Algunos conductores lo hacen sin más, mientras que otros lanzan miradas fulminantes de las que él no se percata porque siempre va como los caballos con anteojeras. Hay incluso otros que se atreven a gritarle maldiciones que no escucha porque el viento lo aturde y porque Mr. Black imagina que sólo existe su bicicleta en el camino.

Se dirige al consultorio del Dr. Z.

A pesar de que hace mucho calor, de que es julio en Clearwater, Florida, de que transpira a mares (a mares, curiosa expresión, piensa Mr. Black y se pregunta si la frase se refiere a la cantidad de sudor expulsada o a que los seres humanos transpiran con gusto a sal) y de que se le ha olvidado el sombrero y el sol agrieta su nuca; a pesar de todo ello, se convence de que al menos está haciendo ejercicio, aunque en realidad está flaco, muy flaco, y tal vez no lo necesite. Alza la mano para doblar, frena con dos dedos, y llega al estacionamiento de las oficinas del Dr. Z.

No hay lugar para dejar bicicletas. Acerca la suya a unos matorrales y la coloca detrás de ellos, un poco escondida y un poco a la vista, calculando que nadie va a querer llevarse una bicicleta tan desvencijada cono la suya. Mr. Black no está al tanto de que en Clearwater se ha formado un comando de robabicicletas capitaneados por un individuo de cabeza rapada al que llaman el Italiano.

La secretaria del Dr. Z. lo mira con el desprecio de siempre, ese que nunca oculta detrás de la sonrisa perfecta obtenida gracias a que sus padres le pudieron arreglar los dientes cuando era niña y esos dientes, además de sus caderas rellenas y de sus mohines de princesa malcriada, le permitieron ser porrista y conocer a Bruce, su marido, en ese entonces jugador del equipo de baloncesto de la escuela secundaria. Bruce la dejó por otra porrista de la misma secundaria, pero en diferente época, o sea él más viejo y la porrista muy joven. Para ese momento, era el hijo de Bruce, Carlo, quien jugaba en el equipo de baloncesto y también se había acostado con la misma muchacha. El escándalo dio que hablar a toda la ciudad, pero Bruce se fue igual con la joven porrista. Todo esto Mr. Black lo sabe por el Dr. Z. Y Annie, la secretaria, sabe que él sabe.

Lo invita a tomar asiento y anuncia que en unos minutos el doctor podrá verlo. Mr. Black piensa que esa mujer no merece la vida que le queda por delante. Pero no dice nada, porque raras veces dice algo. Luego de hojear las revistas de golf y de tenis, se pone a mirar la televisión. El volumen está bajo, como siempre lo está en la oficina, pero ve con alarma que el huracán Demóstenes, nacido en el mar Caribe días atrás, amenaza las costas de la península. Mr. Black está informado sobre la costumbre de ponerle nombre a los huracanes. Se imagina a varios individuos sentados alrededor de una mesa en los cuarteles generales del Centro Nacional Atmosférico, jugando a nombrar a estos aluviones de viento y lluvia. Y conjetura que, ante tanto nombre pedestre, Charlie, Hugo, Katrina, algún entusiasta de las letras había ganado la pulseada, y entonces la tormenta había recibido un nombre distinto, serio: un nombre griego.

En la pantalla, un círculo rojo se expande concéntricamente sobre la costa este de Florida.

-Pasa, es tu turno, le dice Annie, que lo tutea porque sabe que a él no le gusta.

Mr. Black se alisa los pantalones. Sus manos contemplan por un instante la posibilidad de no dejarlo incorporarse.

El consultorio del Dr. Z. aparenta ser como todos: blanco, incómodo, sin ventanas, con los diplomas colgados de las paredes y la imagen de una planta o de un paisaje impresionista. Pero en este consultorio hay un algo distinto. Un cuadro donde aparece un hombre de barba rala y ojos hundidos, de perfil, apoyado con su antebrazo izquierdo en el marco de una ventana mientras su palma derecha sostiene su mentón. Mira. ¿Qué mira? Mira hacia la mitad del cuadro donde, en una perspectiva que da ilusión de profundidad, una mujer de largo pelo rojo se halla en la misma posición del hombre y también mira. ¿Mira hacia dónde? Hacia otra ventana donde alguien, en perspectiva profunda también y ya con los contornos muy difusos, mira hacia otro cuadrado que, se intuye, representa una ventana. Ese cuadro, le dijo alguna vez el Dr. Z. a Mr. Black, lo soñé yo. Se lo encargué a un ex compañero de la escuela secundaria que tuvo una fugaz carrera como pintor y terminó internado en un manicomio, había explicado el médico cuando Mr. Black lo visitó por primera vez.

Hay una foto en el escritorio. Son Mr. Black y el Dr. Z., uno pasándole el brazo por los hombros del otro, ambos vestidos con uniforme militar y sonriendo. Debajo de sus pies, fecha y lugar: Iraq, Febrero 28, 1991.

-¿Cómo estás? le pregunta el Dr. Z. porque tiene que preguntar eso aunque ya sepa como esté su paciente, aunque tenga la certeza de que la pregunta es superflua, que no tiene sentido, o sí, tiene un sentido único que no quiere ser descubierto por la respuesta.

Mr. Black se encoge de hombros. Le gustaría usar la frase anotada en su libreta, eso de *soy el dolor cubierto de piel*, para describir su estado, pero no le parece que sus circunstancias lo ameriten y entonces cree que con alzar los hombros es suficiente.

-Ya veo, dice el Dr.Z.

Se da vuelta y coloca las tres láminas sobre el panel con la luz blanca. Los estudios muestran el dibujo de una espina dorsal con un manchón oscuro entre la cuarta y la quinta vértebra.

El Dr.Z. se queda observando las imágenes un rato largo, con su mano derecha sosteniendo el mentón.

Hasta que Mr. Black habla.

-¿Y?

-¿Y qué?

-Vamos, Jim.

-Estas cosas son difíciles de determinar, protesta el Dr. Z., todavía dándole la espalda.

-¿Cuánto tiempo, Jim?, pregunta Mr. Black.

El Dr. Z. se da vuelta y sus ojos brillan.

-Un mes. A lo sumo, dos, contesta.

-Bien, apunta su paciente.

El Dr. Z. desvía la mirada y la detiene por un instante en la foto. Luego la deja reposar en el cuadro de las ventanas.

-Aún no lo entiendo, se queja con amargura. -Pero sé que algo así me ocurrirá algún día.

Toma del hombro a su amigo y lo abraza fuerte.

-Perdón, viejo, yo...

-Bien, dice Mr. Black.

Le palmea la espalda al médico y sale, cerrando suavemente la puerta.

Annie trabaja con muy pocas ganas y apenas nota la silueta del hombre que se detiene frente al mostrador de la oficina. Con la mano sana, Mr. Black saca del otro bolsillo del pantalón unos dólares muy sucios, sabiendo que nunca serán suficientes (está bien que el dinero esté sucio, piensa, porque le pagaron para jugar a la guerra y para matar y ni aquí ni allí entienden lo que es eso, porque los niños son inocentes hasta que se acerca uno de ojos claros, luminosos como si fuera un dibujo animado japonés, y extiende la palma de la mano derecha, pero mantiene el puño izquierdo cerrado y oculto detrás de su sonrisa, y el Dr. Z. le grita a Mr. Black que tenga cuidado y antes de que Mr. Black pueda reaccionar ya le han lanzado la granada y lo demás es la historia compartida, la mano hecha añicos, la monotonía de las balas de la M16 del Dr. Z, los restos, porque eso había quedado, pedazos del niño, mientras el polvo se arremolinaba).

Al ver el dinero, Annie no contiene la burla de su voz.

-Sabes que tu tratamiento es especial, dice. Y hace un gesto de rechazo sin tocar los billetes.

A él le gustaría odiarla, pero no sabe cómo.

La secretaria se ajusta los anteojos contra su nariz porcina y vuelve a su juego de póker en la computadora. Antes de cruzar el umbral que lo lanzará hacia lo desconocido de aquel día, Mr. Black observa el palpitante círculo rojo en la televisión.

El paciente reflexiona sobre la noticia que acaba de recibir. En verdad, piensa, no es una noticia, ya que recuerda muy bien la mañana en que había sentido la protuberancia en su espalda

Mr. Black es hipocondríaco y tiene por costumbre palpar todas las zonas de su cuerpo en busca de algún pólipo o de algún lunar agrandado. Cree que estar saludable es una invitación a la enfermedad y que hay que pensarse enfermo para conservar la salud. Ahora entiende que su teoría no era tan plausible. Obstinado, siente que la situación amerita una frase que la acompañe y encuentra esta cita: *Y, a propósito de la enfermedad, ¿no estamos tentados de preguntarnos si realmente podemos funcionar sin ella?*

Sale. La bicicleta ya no está detrás de los matorrales. Mr. Black maldice, resopla y se dispone a caminar de regreso a casa.

Decide en ese momento que, si tiene un mes de vida, tal vez solo tenga un día. Y que debe aprovecharlo haciendo alguna obra de caridad, dejando una huella, un recuerdo en algunos de los mortales que tarde o temprano compartirán su destino. Las nubes del cielo de Clearwater son perfectas, blancas, calmas.

Mr. Black se propone ser un Hércules del mediodía, nada mejor que un héroe romano en estos casos, seguramente tiene más posibilidades de serlo ahora que cuando combatió en la guerra. No podrán ser doce los trabajos debido a serias imposibilidades, como lo son una mano de dos dedos y la falta de un medio de locomoción. Se dice a sí mismo que con cinco faenas será suficiente y que al otro día o en un mes podrá sentirse satisfecho antes de desaparecer. Su regreso a casa será su odisea personal, privada.

Las botas militares le aprietan los pies y siente que sus medias agujereadas se van convirtiendo en peces gelatinosos que nadan en un agua estanca. Ni siquiera cuando estaban en Desert Storm con el Dr. Z., caminando durante horas por un desierto que parecía un mar, ni siquiera entonces, piensa, los pies le transpiraban tanto. Y con ese recuerdo Mr. Black se permite hacer una digresión mental para reconstruir el inicio de su amistad con el Dr. Z.

Se habían conocido en la oficina ubicada en la calle Skipper. Sentados frente a frente, disimulaban los nervios mirando los carteles que alentaban a los reclutas a unirse al ejército que los convertiría en hombres o mujeres de verdad. Cuando por fin bajaron la vista y ya no había escapatoria, entendieron que serían parte de la fuerza militar más poderosa y más asesina de la faz de la tierra y que nada en su vida sería igual. En ese momento, uno de los muchachos apostó todo su futuro al otro de pelo ensortijado que le sostenía los ojos. Y, sacando su libreta de anotaciones, recitó una de sus frases: *Pero algo pasa aquí, y no sabes qué es, ¿no es cierto, Mr. Jones?* Su compañero de espera arqueó las cejas y dijo:

-A veces, mis sueños son reales.

Quince años después, Mr. Black ha concebido el último día de su existencia.

Lo que sigue es la descripción de sus trabajos, que se desarrollan bajo el sol de Clearwater y se suceden de una manera desprolija aunque, al recomponerlos a través del filtro narrativo de su cabeza, se transforman en secuencias nítidas y veloces de una película de corte casero. El sujeto principal es siempre Mr. Black.

Escena 1: Mr. Black llega a una esquina con semáforos y pulsa el botón para cruzar la avenida. Se da cuenta de que junto a él hay una ciega vestida con harapos que también desea cruzar. Él se ofrece a caminar con ella amablemente hasta la acera que está del otro lado de la avenida. La mujer le dice que ella no quiere cruzar, que está allí porque cuando el semáforo se pone rojo sale a la calle a pedir algunas monedas a los conductores de los autos que esperan la luz verde. A él le parece una situación desgraciada, pero piensa que de todos modos este imprevisto no puede obstaculizar su plan. Insiste en que la cruzará. Ella comienza a insultarlo. El semáforo se pone rojo y él sale, arrastrando a la vieja que forcejea tirando de la manga de su chaqueta militar. En la mitad del trayecto, la mujer logra zafarse de su prisión, volviendo rápidamente a la acera de donde vino. Él, caído en el pavimento, ve cómo la luz se torna verde y los mismos autos cuyos conductores lo maldecían cuando iba en bicicleta comienzan a avanzar. Gateando a siete dedos, alcanza a sentir el roce de uno de los autos contra su cuerpo mientras se arroja hacia el otro extremo de la avenida y llega a la acera. Fin del trabajo 1.

Escena 2: Mr. Black continúa hacia su casa y se topa con una estación de servicio. Cree que puede ayudar a los que llegan sedientos de gasolina, Pepsi y papitas fritas. Se aproxima a un auto rojo que frena en el primer surtidor. Golpea el costado el vehículo, lo cual siempre se interpreta como un aviso para que abran el tanque de gasolina. El conductor baja la ventanilla y pregunta por qué ha golpeado su auto. Él le explica que quiere llenarle el tanque. El hombre responde que no quiere el tanque lleno, que solo tiene diez dólares, y le pregunta, con recelo en la voz, si trabaja ahí. Él se desespera un poco, se agacha y trata de accionar la palanca que abre el tanque por su cuenta. El conductor del auto ve la mano de dos dedos y no puede reprimir un insulto. En ese momento, sale el árabe encargado de la estación a fumar su cigarrillo de la media mañana y observa el forcejeo. Hay un grito de qué pasa aquí. Aunque el héroe sabe que podría reducir con facilidad al árabe y al disgustado conductor, se asusta un poco, los aparta para abrirse paso y va hacia la calle a toda velocidad, mientras el del auto rojo y el árabe lo amenazan. Fin del trabajo 2.

Escena 3: Mr. Black, bastante cansado y habiendo adquirido un mayor respeto por Hércules y sus faenas, retoma la senda hacia su casa, aún firme en su propósito de hacer alguna obra que justifique su último día. Cree que la buena suerte lo ha favorecido cuando ve una hilera de árboles ofreciéndole sombra. Mientras se recuesta en un tronco, se da cuenta de que necesita una frase que pueda simbolizar lo que le ha ocurrido desde que salió de la oficina del Dr. Z. Abre su libreta y no se sorprende: *Gris, querido amigo, es toda teoría y verde el árbol dorado de la vida.* Alza la vista del papel y observa que al otro lado de la calle, donde también hay árboles, hay un hombre tirado con la boca abierta. Cruza. Rememora que al Dr. Z. y a él les había tocado cerrar los ojos de varios compañeros y de varios enemigos (enemigos, qué palabra tan inútil y tan inevitable, piensa, personas que uno no conoce y que en otras circunstancias hasta podría saludar en el supermercado deben aniquilarse en nombre de la patria, la libertad y la propia supervivencia y, si nos atenemos a esta última razón, entonces su peor enemigo es ese tumor en la columna vertebral, o sea, él es su enemigo). Llega hasta el hombre y acerca su oído derecho a la cara del moribundo. No siente nada. Pone en funciones su entrenamiento militar y comienza a practicarle resucitación. Al comprimir el pecho escucha un crack y un grito agudo de dolor. El hombre, con los ojos desorbitados, le pregunta qué está haciendo. Nuestro héroe explica que lo vio tirado con la boca abierta y que pensó que estaba teniendo un ataque cardíaco o algo así. El hombre trata de incorporarse pero sus muecas indican un sufrimiento mayúsculo. Le dice a su salvador que mientras su esposa compraba en el Walgreens, decidió tirarse en el pasto y tomar una siesta. Le explica que siempre duerme con la boca abierta y ronca. Le comenta que ahora va a tener que ir al hospital y que no tiene seguro médico pero que se pueden meter el seguro médico en el culo porque él se siente más libre que lo que era antes, libre para, por ejemplo, romperle la cara a un tipo que acaba de cruzar la calle y le acaba de fracturar dos o tres costillas. En ese momento sale una mujer del Walgreens, el hombre desvía la vista y el buen samaritano aprovecha para alejarse sin necesidad de explicar nada. Fin del trabajo 3.

Escena 4: Las oficinas vacías con letreros de *Se vende o Se alquila*, las casas abandonadas, los terrenos sin vegetación y la basura le anuncian a Mr. Black la cercanía de su hogar. Siempre hay un aliciente, una sensación cálida en lo familiar y por eso sonríe cuando ve el campo de tiro al blanco. También hay algo en el cartel oxidado que atrae su atención, aunque en ese momento no puede determinar qué es. Piensa que como ha pasado un rato desde el intento de resucitación, es hora de buscar nuevamente el refugio de la sombra. Entra al lugar y las luces mortecinas calman su ánimo. Hay dos individuos practicando, uno en cada extremo de la hilera de cabinas. No son buenos tiradores y él ve su oportunidad. Se acerca al dependiente y le pide una pistola semi-automática. El tipo de bigotes, arrugado como si un siglo hubiera decidido quedarse a vivir en su cara, escupe tabaco y le pide una identificación y dinero. Él saca sus dólares sucios y los pasa por el hueco de la ventanilla que lo separa del hombre. El dependiente los mira a contraluz, eructa y le da el arma. Él se dirige al tirador que está a su derecha y piensa que no tiene buen pulso y que apunta mal; si él sabe algo es apuntar bien. El tirador no lo ve acercarse ni lo escucha porque tiene puestos unos enormes auriculares verdes y está concentrado en su trabajo, bang, un tiro a la cabeza de la silueta de cartón, bang, otro al estómago, ese no salió bien, bang... Él le pone una mano en el hombro al tirador para decirle que puede ayudarlo. El tirador se da vuelta sorprendido, ve la chaqueta militar. Se asusta. La sorpresa le dura un segundo. Da vuelta el rifle y le pega un culatazo. En la última imagen que el héroe de este día tiene del incidente, tres hombres lo cargan hasta la puerta y lo tiran hacia la calle, mientras le recuerdan en términos no muy elogiosos a su madre. Fin del trabajo 4.

Escena 5: Con algún hueso roto, una rodilla sangrando y varios moretones, Mr. Black llega a la lavandería que está en la esquina de su casa. Decide que hará un intento más de darle sentido a la jornada. Entra. Dos negras están poniendo a lavar su ropa y discuten; dos muchachos mexicanos o salvadoreños, sentados sobre una de la mesas de la lavandería, esperan mientras se seca su ropa. Quedan ocho minutos para que termine el secado y, a pesar de que los que están ahí lo miran compasivamente, él podrá explicarles a los mexicanos o salvadoreños que, de verdad, solo quiere ayudarles a doblar la ropa. El televisor está dando las noticias de las once y dedica un segmento al perfil del joven que mantiene en vilo a toda la población: el Italiano, el robabicicletas que ha dado más de cincuenta golpes en la ciudad. Han logrado hacer un identikit del muchacho y es extraño, porque estos dibujos generalmente remarcan aun más la criminalidad del maleante, pero este no es el caso porque el Italiano sonríe como si estuviera haciendo una travesura. Cualquier información, favor de comunicarse con la policía, dice el locutor televisivo vestido de traje y corbata, y da el número. Entonces se escucha un ruido horrible y monótono. Es el sistema de emergencia estatal; luego de los segundos correspondientes del chirriante aviso, el mismo locutor, desencajado, anuncia que el huracán Demóstenes ha dado un giro y se dirige hacia Clearwater a una velocidad histórica. Todos prestan atención a la pantalla y él entiende por fin que el cartel del tiro al blanco y la espiral del suéter rojo que daba vueltas en la secadora eran parte de una misma figura, algo más que una coincidencia. Y piensa en el Dr. Z., y en lo que hace a eso de las once de la mañana. Las negras cambian sus camisetas de la lavadora a la secadora y comienzan a discutir nuevamente y los mexicanos-salvadoreños se ponen a doblar la ropa. Entiende que debe irse, que debe avisar, no contempla nada más. Fin del trabajo 5, que queda incompleto.

Mr. Black llega a su casa. Va en busca del baúl donde guarda las cosas que no quiere ver (en algún momento había fantaseado con la idea de alquilarse él mismo un sector en su cerebro para ubicar eventos que deseara olvidar, pero la mente siempre le juega malas pasadas; además, no sabría qué forma de pago pedir, así es que utiliza un baúl para almacenar las cosas que le traen recuerdos ingratos). En el camino se le cruza una cucaracha y no puede evitar el pensamiento de que luego del huracán esos engendros celulares serán los únicos sobrevivientes de la hecatombe. Antes de aplastarla con su bota, le sonríe. Saca su M16 porque nunca se sabe y una bolsa donde la enfunda; se viste con la mejor ropa que encuentra: su chaqueta militar más nueva, pantalones negros y Converse All Star rojas. Sale. Y se da cuenta de que no llegará, de que no puede llegar caminando, que está muy lejos. Se agazapa y vigila la casa de Miss Smith, su vecina, que, como de costumbre, está limpiando el patio del fondo. Se acerca al auto, abre la puerta con cuidado y lo hace arrancar, un viejo truco de sus andanzas de adolescente. El plan es acelerar a fondo e ir a avisarle al Dr. Z. que viene Demóstenes y que hay que irse. Las cosas podrían ser mucho más simples y sólo bastaría con una comunicación, pero mientras el Dr. Z. hace lo que hace, no contesta ningún teléfono.

Da marcha atrás con algo de violencia y siente un golpe. Mientras escucha la voz amenazante de Miss Smith corriendo hacia él, baja, va hacia la parte trasera del vehículo y cae en cuenta de que ha atropellado a un ciclista. La confusión le dura poco, ya que reconoce, en primer lugar su bicicleta, y en segundo lugar, tirado en el piso y sangrando, al joven del identikit. Piensa rápido. Mete la bicicleta en el auto y sube al Italiano en el asiento de atrás justo antes de que la vieja lo alcance.

Es un contratiempo que, maravillosamente, le aclara la faena del día. Mientras el muchacho balbucea y él le da un golpe con la M16, comprende que tal vez ese sea su legado: ser el captor del ladrón de bicicletas de Clearwater. Pero eso no resuelve el problema de cómo avisarle al Dr. Z. de la venida de Demóstenes. Mientras maneja, el imponente edificio de la Iglesia de la Cienciología se alza sobre el auto de Miss Smith.

Mr. Black frena y estaciona mal. Baja con el Italiano a la rastra, dispara unos tiros al aire para amedrentar a los obesos guardias de seguridad de la iglesia y se encierra en la sala de conferencias. Arroja un par de bancos sobre la puerta y se deja caer con su rehén, con un lógico cansancio. El joven, que ya ha vuelto en sí, abre los ojos y le pregunta a su victimario quién es. Mr. Black mira con fastidio al prisionero y reconoce esa nariz porcina. No puede creer su suerte: es Carlo, el hijo de Annie.

-Conozco a tu madre, le dice.

-Mi madre es una rata y me quiere ver muerto, le responde el muchacho.

Mr. Black sabe que su prisionero tiene razón, pero también cree en el instinto materno. Le pide prestado el teléfono celular a Carlo. Primero llama al Canal 6, les cuenta la situación y les explica que dejará que entre sólo un camarógrafo. Luego, llama a la policía, les dice que ha atrapado al Italiano y que está dispuesto a meterle un tiro en la cabeza.

Y, por último, llama a Annie.

A varios kilómetros de distancia de la iglesia de Cienciología, la secretaria del Dr. Z. y el doctor fornican desde las once en punto cuando suena un teléfono. Annie contesta.

-Soy yo, dice Mr. Black.

Antes de que cuelgue, agrega:

-Tengo a tu hijo de rehén. Es el que anda buscando la policía.

-A mí me importa un carajo, le responde Annie.

Y cuando ella se dispone a acabar con la vida de Mr. Black, a cerrarle para siempre su última oportunidad, una mano, invisible pero real, toma el teléfono.

-¿Quién habla?, pregunta el Dr. Z., enojado.

-Jim... Jim, escucha, solo te pido que mires la pantalla de la televisión.

El Dr. Z. le hace caso. El volumen está bajo y la imagen está dividida en dos: una mitad muestra el círculo concéntrico rojo sobre un área de Florida; la otra tiene un primer plano de la cara de Mr. Black y de Carlo, ambos filmados por el camarógrafo del Canal 6 que acaba de ingresar al edificio.

-Es el huracán… está por caer, deben salir de ahí... quería avisarte... gime Mr. Black.

-El huracán giró lejos de aquí hace unos minutos... Lo soñé ayer, ¿sabes? Soñé que esto iba a pasar, que nos íbamos a salvar, explica el Dr. Z.

Se escucha un sollozo en el otro auricular.

-Déjate de tonterías y vete a casa. Yo arreglo todo, lo consuela el Dr. Z.

Annie quiere decir algo pero el doctor la calla con un ademán.

Mientras esperan a la policía, Carlo le cuenta su historia, le habla de la nobleza de su proyecto, que solo quiere ayudar a los más necesitados y, porqué no, mejorar el medio ambiente. Mr. Black siempre ha tenido una veta de caballero enderezador de entuertos y por eso escucha al Italiano y le otorga el beneficio de la duda. Todo está siendo grabado por el camarógrafo. Mr. Black saca su libreta, que ha tenido el cuidado de pasar de un pantalón al otro, aun en momentos de desesperación. Lee: *La pregunta surgió de repente: ¿y si toda mi vida ha sido un error?* Entonces suelta al muchacho, que sale aliviado por una puerta lateral. Mr. Black camina unos pasos hacia el cesto de la basura y tira la libreta. Está listo para cualquier cosa.

Cuando llegan los policías a esposarlo, uno de los agentes dice:

-Con cuidado, este hombre ha servido con honor a nuestro país.

Incrustado en el fin de la mañana y con el sol de Clearwater a pleno, Mr. Black sale del edificio y enfrenta a los periodistas. Hace una "V" con sus dos dedos. En ese momento, siente que el tumor retrocede.

• • •

Los monólogos de la placenta

La placenta se conoce en los círculos médicos como "el árbol de la vida" ya que las venas que la recorren se asemejan a las ramas de un árbol. Es, además, el órgano que alimenta al feto y lo mantiene vivo, proveyéndolo de oxígeno y nutrientes.

Max Miller mira su reloj. Son las 9:30 de la noche, la hora pactada. Mece la silla mientras fuma su pipa en el porche de su casa de campo, en las afueras de Bakersfield, California. Sabe que ha obrado así por el bien de la ciencia. Sus años como doctor e investigador le han dado seguridad y aplomo.

La placenta surge de las propias células embrionarias y no de las maternas. Actúa como un refrigerador y como un basurero a la vez, nutriendo al feto y encargándose de sus deshechos. Funciona como los pulmones, el hígado y los riñones de lo que está por nacer, antes de que eso sea algo.

Es noche de luna llena y Miller apaga las luces del porche. El azul baña el extenso parque enfrente de la casa e ilumina el camino de entrada. Mentes como la suya necesitan huir de la contaminación urbana y sosegarse en el ritmo deliberado del campo. Además, el aire puro y el sol son fundamentales para los árboles.

A pesar de su rol irreemplazable, sorprende comprobar lo poco que se conoce, en términos médicos, sobre la placenta. Por ejemplo, en los últimos tiempos se ha empezado a sospechar que, lejos de ser estéril, contiene una población de microorganismos que dan forma al sistema inmunológico y, por consiguiente, afectan la salud futura del feto.

Miller ejerce como obstetra y ginecólogo en uno de los centros médicos más importantes del estado. Su interés reside en el milagro de la vida y eso explica su especialización. Su labor hace feliz a centenares, tal vez miles de mujeres. O eso supone. Su oficina registra esos estados de ánimo en las fotos colgadas en las paredes. Las madres, agotadas y sudorosas, y él, de guardapolvo blanco o azul, sonriendo. Miller es profesional, hace bien su trabajo y cuando llega a su departamento enciende las luces, tira las llaves sobre la mesa, se saca la corbata y se sirve un vaso de ron con hielo. Bebe y tiene la conciencia tranquila porque cree que es una parte ínfima pero vital del ciclo de universo. Además, nunca ha perdido una paciente.

El momento en que la mujer expulsa la placenta es conocido como el postparto; el órgano sale unos quince minutos después del bebé y pesa cerca de medio kilo, el equivalente a un sexto del peso del recién nacido. El aspecto de la placenta es formidable y muchos padres se desmayan al verla. Combina el azul con el rojo oscuro y su extensión promedio es de 22 centímetros, con un ancho de 2.5 centímetros. Su conexión con el feto se realiza mediante el cordón umbilical.

Todo comienza a cambiar con el caso de Rachel. Es la primera paciente que muere frente a Miller. Ella y su novio regresan manejando de una fiesta en donde han consumido drogas y alcohol. Rachel es adicta y no ha cuidado su embarazo. Empieza a sentirse mal y a gritar. Sangra y se pone histérica. El novio, que también grita y le dice a Rachel que se calle y que es una idiota, levanta la vista y repara en las letras que anuncian el centro médico donde trabaja Miller. Se lanza a la sala de emergencia. Mientras Rachel aúlla de dolor, el doctor observa que la cosa no va a ir bien. La palpa; debe llevar unos 3 meses.

El novio tiene los ojos desorbitados y Miller le pide que espere afuera. Todo es rápido y hasta limpio. Rachel vomita, le baja la presión, los signos vitales le empiezan a fallar. Sale una masa de tejido informe. Rachel muere a los pocos minutos y el doctor no lo puede creer. Las enfermeras gravitan hacia el feto; están tristes. Pero a Miller le interesa esa cosa que parece un corazón de un animal desconocido. Piensa que en ese órgano de órganos hay un secreto, tal vez un indicio de la causa de la muerte de Rachel o una abertura al futuro que nunca llegaría para el feto.

Los científicos usan insistentemente una palabra para referirse a la placenta: "invasiva". Se forma en la membrana del útero apenas aparece allí el huevo fertilizado y se adhiere a los tejidos maternos como si fuera un parásito. Comienza a drenar de nutrientes y sangre a la madre para proveérselos al embrión. Para cuando termina su tarea, la placenta ha invadido alrededor de cien pequeñas arterias y capilares. Las células que llevan a cabo esta invasión se llaman trofoblastos y actúan como un ejército imperial, conquistando territorio, abriéndose paso. En ciertos casos, hasta segregan sustancias que hacen que las células maternas se suiciden.

Miller estudia la placenta de Rachel por largo tiempo, congela su sangre, pasa noches en el microscopio buscando una explicación más allá del cuadro clínico. Los resultados no son concluyentes. Se lleva la placenta a su casa. Una noche de mucho ron, desalentado, la saca del refrigerador y la tira del quinto piso de su departamento. Ve que dos perros se acercan a ella. El doctor no ceja en su empeño, sin embargo, y cambia de táctica.

Los trofoblastos se parecen a las células cancerosas. Imitan el comportamiento de las células uterinas para reemplazarlas e instalarse en la membrana que recubre al útero. Este proceso se conoce como "remodelación" y los trofoblastos dilatan las arterias lo suficiente como para que la sangre fluya del cuerpo materno hacia la placenta y alimente al feto.

La primera es Lupe. Llega al centro porque la traen sus patrones, rancheros acaudalados de buenas intenciones. Es empleada doméstica y trabaja aún a pesar del vientre de nueve meses. El parto es normal y Miller respira con alivio, como cada vez que una vida llega al mundo. Cuando se está lavando las manos, se le ocurre la idea. Le pregunta a la mujer por su nombre y ella contesta en un inglés con acento, Guadalupe, pero me dicen Lupe. Él entonces le trae la placenta y se la muestra. Qué es eso, Dios mío, exclama ella, y Miller entiende que la mexicana no tendrá problemas en donar el órgano para fines de investigación. Llama a una enfermera y le pide que se comunique con los administradores para redactar los permisos correspondientes.

Gracias a la industrialización de los nacimientos, durante mucho tiempo la placenta fue considerada un desecho, un residuo que debía eliminarse, por lo general, mediante la incineración. Hoy en día, las cosas han cambiado.

Miller se dedica más y más a su proyecto de investigación. La placenta lo consume. Lee enciclopedias médicas y diccionarios; revisa las últimas publicaciones de revistas académicas sobre el tema; consulta con neonatólogos, patólogos y profesores de biología celular. Ha decidido que serán doce especímenes. Además de Lupe, Jenna, Elizabeth, María, Nairobi, Kelly, Cristina, Rebecca, Luisa, Ally, Summer y Maia. Todos partos normales; todas madres saludables. El doctor supervisa el proceso de gestación, habla con ellas antes de los nacimientos, les explica la razón por la que necesita el órgano, calma sus temores, les promete una compensación nada despreciable y, a las más renuentes, las seduce con el discurso científico y moral de que lo que están haciendo beneficia a toda la humanidad. En tres meses, Miller obtiene doce placentas que estudia con renovado vigor. Pasa revista a las funciones endocrinológicas, excretivas y nutritivas y no deja de asombrarse cómo las madres pueden tolerar un cuerpo foráneo dentro de sí. Es casi como un ser de otro mundo, piensa. La idea de una invasión injusta, irreversible e irreparable, va tomando forma en su cabeza. Lee cada vez menos sobre asuntos médicos y cada vez más sobre cuestiones espirituales que tienen que ver con la placenta.

La placentofagia se ha puesto de moda sobre todo en Estados Unidos. Las madres conservan la placenta y, luego de unos meses, la cocinan y la ingieren. Ha habido algunos reportes que indican que algunas madres, luego de la cocción, la disecan y hacen polvo, para después colocarla en cápsulas que se toman como si fueran complejos vitamínicos. Tampoco es inusual beber la placenta en licuados. Los detractores de esta práctica consideran la ingesta de la placenta como un acto caníbal.

Miller se cansa del centro médico, de sus guardapolvos, del laboratorio y del ron. Es entonces que decide pensar de manera diferente sobre la placenta, buscar alternativas, romper esquemas, llegar al secreto de forma heterodoxa. Comienza vendiendo su departamento y comprándose la casa de campo en Bakersfield, para contar con amplitud, con territorio. Continúa retirando todo su dinero de los fondos de jubilación, pidiendo una licencia indefinida de su trabajo e instalándose en Bakersfield. Se lleva sus doce placentas, las cuales mantiene refrigeradas y en buen estado. Prepara el terreno con paciencia, pero también con determinación. Compra los elementos necesarios para la tarea y un día como cualquier otro, lo hace.

Pasan cinco años. El doctor ya no es doctor, es, más bien, un granjero de barba espesa y gorro de ala ancha. Su única conexión con el mundo exterior es la computadora portátil que utiliza muy de vez en cuando para enviar un correo electrónico como quien manda un mensaje en una botella. Luego de los cinco años, Miller se comunica con sus doce ex pacientes, invitándolas a concurrir a su casa de campo en Bakersfield, California, el día señalado, a las 9:30 de la noche. Es importante, es sobre la placenta. Las mujeres llegan una a una; no se conocen y se miran extrañadas, pero pronto comprenden que las agrupa un propósito común.

Miller se levanta de su silla y, con la pipa en la mano, les da la bienvenida.

En algunas culturas, la placenta se entierra por diversas razones. Algunos la consideran una especie de hermano o hermana del feto, que muere al nacer este, como en Nepal, Malasia e Indonesia. En otros casos, el entierro tiene que ver con la conexión entre el ser humano y la tierra, creencia de los maoríes neocelandeses, o con la salud de la madre y el bebé, como en Cambodia y Costa Rica.

Entonces, esto es lo que les dice:

-Ustedes me recuerdan, ustedes confían en mí. He traído a sus hijos al mundo y a cambio sólo les pedí que me dejaran estudiar un fenómeno que no tiene explicación. Pasé mucho tiempo usando el método científico para llegar a concluir algo y debo decir que la medicina me defraudó. Usa eufemismos para ocultar la verdad. No llama a las cosas por su nombre. Los saberes alternativos pecan de lo mismo, de pensamiento mágico, de animismo. No. La placenta es lo que es. Es un agente invasor que protege al otro agente invasor de sus cuerpos: sus hijos.

Miller escucha algunos murmullos. Las madres están inquietas. Continúa:

-No se preocupen, no estoy loco, ellos están a salvo. Yo soy, o era, un doctor, y he jurado proteger la vida. Honro esa promesa. Pero es necesario hacer algo para enfrentarse al otro monstruo. Por eso, traje sus placentas hasta aquí, cultivé el campo y hace cinco años, las enterré. No sabía qué esperar. La nada era lo más seguro. Pero miren.

Miller hace un gesto y dirige a sus invitadas hacia la parte de atrás de la casa. Hay un sector del parque empalizado con muros. Atraviesa él la puerta primero. Luego las madres. Y lo que ven es un bosque de doce árboles rojoazules, horribles, arrugados, enormes. También observan que toda la vegetación alrededor de los árboles está seca, muerta. Las ramas parecen querer extenderse por todo el campo.

-¿Lo ven? ¿Entienden?, sigue Miller. -Estos también son sus hijos, son los que las tomaron y las hicieron otras, ellos son los monstruos. Sólo saben crecer. No se detienen. Suprimen para poder sobrevivir. Hoy les doy la oportunidad de la venganza, de que ustedes acaben con ellos. Es justo y necesario.

Miller camina hacia la izquierda donde hay una mesa con doce hachas. Levanta una y exclama:

-¡Aquí están! Las pongo en sus manos. ¡Demuéstrenle a la naturaleza que no todo está perdido, que no somos insignificantes! ¡Enséñenle quién manda!

Lupe, Jenna, Elizabeth, María, Nairobi, Kelly, Cristina, Rebecca, Luisa, Ally, Summer y Maia toman sus respectivas armas y se miran unas a otras. Los árboles parecen abrazarlas. Como si una corriente atravesara sus cerebros, como si fueran un ejército de autómatas, giran y se dirigen hacia el hombre que sigue gritando, desencajado.

El Dr. Max Miller cierra los ojos y deja caer la pipa.

De todos modos, estos ritos señalan la importancia simbólica de este misterioso órgano. Sin placenta, no habría vida.

• • •

Código 51

Una luz cruzó el horizonte.

De repente, sonó el teléfono (*el teléfono siempre suena de repente*, pensó Torres).

Atendió. Del otro lado, una voz se agitaba. El comisario asentía, carraspeaba, parecía preocuparse.

La estación de policía estaba bien iluminada, como si las luces anunciaran que allí todo estaba al servicio de la verdad.

-Bien. Vamos para allá, dijo Torres. Colgó y frunció el ceño.

Wilson, el sargento, no pudo con su ansiedad y dijo:

-Jefe, ¿no cree que esta escena se parece a las de las películas de cine? Alguien llama en la medianoche con un misterio. Nosotros estamos fumando, nos ponemos serios y decimos: "Vamos para allá" ¿No le parece, eh?

-Cá-lla-te Wilson, dijo Torres, en su entonación asmática.

Habían telefoneado de Chupadero (pob. 351) para denunciar que una luz portentosa (*portentosa, esa es la palabra que han usado estos provincianos*, recordó Torres) había atravesado el cielo de Nuevo México y había hecho ruido en las inmediaciones de la casa de Miss Susan Navajo. Esa era la historia.

El comisario Steve Torres casi nunca daba crédito a aquellos que decían haber visto algún objeto volador no identificado en Chupadero. En la estación recibían alrededor de cien llamadas por año sobre el tema. Es decir, más del treinta por ciento de la población no sólo creía en la vida extraterrestre sino que, además, aseguraban que los seres de otros planetas elegían Chupadero como pista favorita de aterrizaje para su primer contacto con la Tierra. Así es que podría haber desestimado el asunto sin muchos reparos. Después de todo, era una llamada más.

Pero no lo era. Miss Susan Navajo -madre divorciada, una hija adolescente y un hijo de seis años- descendía de una familia con ilustre tradición en la comunidad Navajo; varios de sus miembros habían ocupado cargos políticos en el pueblo. Cuando el comisario tuvo que conseguir apoyo para la reelección, los Navajo estuvieron a su lado en todos los actos políticos y reuniones vecinales. Esto explicaba que la llamada de la abuela de los Navajo a la estación no pudiera pasar desapercibida. Había otras razones, más ocultas. Por ejemplo, los galanteos del comisario cuando se cruzaba con Susan en el mercado (*en este pueblo todos se cruzan con todos*, pensó Torres, que creía firmemente en aquello de pueblo chico, infierno grande).

-Levanta las patas de la mesa, Wilson, te dije mil veces que no las pusieras ahí. Vamos saliendo. Tenemos un Código 51, dijo el comisario.

Al sargento le brillaron los ojos.

-¿Código 51? A ver si esta vez se nos da, jefe, ¿no? Siempre salimos con las manos vacías... Quizá nos encontremos con una nave como la de *Encuentros cercano del tercer tipo*, ¿no le parece? Turururururuuuuuuuu...

-*Cá-lla-te Wilson*, dijo Torres.

Mientras conducía hacia la casa de los Navajo, el comisario se concentraba en las rayas amarillas que dividían el camino. El sargento movía la cabeza de un lado a otro tarareando la banda de sonido de la película de Spielberg. La sirena ululaba en azul y rojo y a Torres se le cruzaban muchas cosas por su mente: el futuro truncado por una equivocación de juventud; la inmundicia de su trabajo en ese rincón olvidado y polvoriento; el imbécil de Wilson y su obsesión autista con el cine; el asma, que lo hacía sentir como un ser de otra especie, su falta de valor para hablarle de una vez a Susan (*ya han pasado más de cinco años, ¿qué estoy esperando?* se preguntaba).

Casi sin darse cuenta, llegaron.

Los Navajo vivían en una casona que había conocido tiempos mejores y que ahora tenía el aspecto de una mansión gótica en ruinas. A Torres le hubiera gustado estar lo más lejos posible de allí. Por ejemplo, estar en su cuarto, hojeando los libros sobre las civilizaciones antiguas, su único pasatiempo.

El camino estaba extrañamente embarrado; hacía varios meses que no llovía. Les costó llegar hasta la puerta. El comisario tocó; Wilson estaba detrás de él.

-Steve… ¿tú aquí?, dijo Susan al abrirle.

A Torres le agradó verla. Siempre le agradaba verla.

-Miss Navajo, el comisario Torres y yo estamos aquí porque hubo una llamada hecha desde su casa sobre un objeto volador no identificado, indicó el sargento.

Cá-lla-te Wilson, pensó Torres.

Susan se mostró sorprendida, pero de cualquier manera los invitó a pasar.

Los tres estaban ahora en la sala, bañada en una luz débil, como si fuera un teatro de sombras.

El comisario informó con tono solemne sobre el asunto y aclaró que siempre tomaba con total seriedad el Código 51. Miss Navajo aclaró que ella no se había comunicado con la estación de policía y que no sabía nada de ninguna luz. Wilson estaba callado.

Hubo un momento en el que cada uno de ellos creyó entender algo diferente de lo que en realidad estaba pasando, o más bien iba a pasar.

De repente, el sargento Wilson tomó a Susan de la cintura con una violencia que pareció ensayada. Desenfundó su arma.

-Terminemos con la farsa, dijo.

Torres no atinó a reaccionar.

-Comisario, usted es un idiota. ¿Nunca vio *Alien*? El enemigo está dentro, jefe. Usted siempre se creyó mejor que Chupadero, siempre nos insultó, pensó que éramos poca cosa. Nunca pudimos impedir que la estúpida vieja lo apoyara, quién sabe por qué diablos, pero esta vez la convencimos de que llamara a la estación. Inventamos lo de la luz, lo del código, para atraerlo hasta aquí, porque sabemos que cumple muy bien con su deber, tan bien como aquella vez, ¿se acuerda?, la que le costó la vida a una niña. Finalmente, usted, comisario Torres, no deja de ser un mexicano de mierda ¿entiende? Esta no es su tierra, ¿entiende? Hay que acabar uno por uno con ustedes, son como las cucarachas. Hay que limpiar esto, empezando por usted. Si es por mí, ¡que a Chupadero se lo chupen! Usted no vivirá para contarlo y nosotros nos largamos. Susan, despídete de tu amorcito, ordenó Wilson, desaforado.

Pero Susan no se movió; estaba blanca.

-Vamos, insistió Wilson. -¿Qué pasa, Susan?

La iluminación parpadeó un poco y entonces se escuchó un disparo. El sargento Daniel Wilson cayó de bruces al suelo.

En la puerta, la abuela Navajo empuñaba un rifle Winchester 1892. A su lado, los hijos de Susan parecían dos estatuas. La vieja habló como si estuviera recitando:

-Es el momento de la unión. Hemos esperado muchos ciclos. Susan Navajo y Steve Torres, ustedes, los que llegaron desde otro tiempo y otro espacio, son dos mitades gemelas. Ustedes poseen la salvación. Esta tierra está maldita y debe purificarse. Ellos, los nuestros, han retornado. Los hijos de los dioses han vuelto a reclamar lo que es suyo.

Torres sentía que estaba dentro de una pesadilla ridícula de la que no quería despertar. Pensaba que la mujer estaba loca, claro, pero que su locura podía significar una liberación. Pensaba que iba a morir y que no importaba porque hacía mucho que estaba muerto.

-Es la hora, dijo la abuela Navajo.

Luego hizo un ademán y ordenó a Susan y al comisario que se acercaran a la puerta. Salieron.

Un resplandor los enceguecío. Cerca del establo, en las afueras de la casona, una luz portentosa con forma ovaloide emitía un sonido blanco. Torres giró la cabeza y vio que las órbitas de los ojos de los hijos de Susan estaban atravesadas por esa oscuridad luminosa. Parecían linternas.

La luz es la nave; la nave es la luz. Quién se va a tragar esa estúpida idea, pensó Torres, y se encogió de hombros.

El sonido se agudizó y de pronto, de varios lados de la nave, comenzó a brotar el agua. Eran chorros potentes que rápidamente inundaron los alrededores de la granja. El líquido, un agua que no era de esta Tierra, empezó a subir. Todo era tan inverosímil que tenía sentido.

En ese momento, el comisario pensó que Wilson sabría de qué película hablar si estuviera presenciando la escena. Y también (porque, al fin y al cabo, era un policía entrenado en el cumplimiento del deber) se reprochó no haber hecho más caso a las llamadas de Chupadero que eran clasificadas con el Código 51.

Un halo de luzagua arrebató a Susan y la propulsó hacia la nave. Ella no luchó y extendió sus brazos hacia la fuente de la luz. Empezó a gritar y, en esos gritos en una lengua desconocida, Torres creyó percibir un llamado que subía desde sus intestinos y que no entendió. Mientras tanto, ya sumergido en el agua, sintió que respiraba mejor y que no tenía miedo.

Susan, su querida Susan, nadó hacia él. Fue entonces cuando, al tocarse los cuerpos, advirtió las agallas. Y en el rostro del comisario Steve Torres se dibujó el horror.

Iluminada por la fulguración, brillante como una sacerdotisa de tiempos o espacios inmemoriales, la abuela Navajo observaba todo aquello y sonreía satisfecha por el deber cumplido. La verdad, por fin, comenzaba a abrirse paso.

• • •

Melting Pot

Buenos muchachos

Todo y todos se lo recordaban.

Su madre, cuando hablaba de la infancia en Guatemala y le contaba que muchas veces no tenían para comer por la dureza de la sequía, por la inundación o porque siempre había algo y que la única gallina que alimentaba a la familia había aparecido degollada, quién sabe, tal vez por un coyote, o por los vecinos que eran mala gente, hijo, le decía. Y él pensaba que era una desgracia haber salido del vientre de esa mujer. Su hermana, Rosaura, pálida y de tetas grandes, a quien, murmuraban, le gustaba besuquearse con sus compañeros de escuela y provocar, y entonces él tenía que salir en su defensa aunque ella fuera la mayor. Y él pensaba que era una desgracia haber compartido con Rosaura el vientre de la misma mujer. Sus amigos, que comían otras cosas y escuchaban otra música y miraban otros programas de televisión, que siempre lo observaban con recelo, como si él les debiera algo, como si estuviera en deuda con ellos. Y él pensaba que era una desgracia, que todo era una desgracia. Pero lo que más le recordaba a Memo su origen, su marca, era su apellido: Rosas. Sus amigos no lo podían pronunciar, no podían con la erre, tal vez no podían con él.

Razones de la cólera

Hasta hace poco Jonathan no se había preocupado por esa palabra, es más, en realidad nunca antes había usado tal palabra, pero un día comenzó con esto de la escritura. Qué carajo tiene que ver escribir con ser sensible a las *minorías*, o ser bueno, o ser respetuoso o ser decente, pensaba Jonathan en un principio. Escribir es otra cosa, siempre lo supo, porque en Estados Unidos igual a quién le importa, bueno, en realidad, vamos, a quién le importa lo que escribas en cualquier lado, todo lo malinterpretan o, lo que es peor, nadie te lee o y terminas invariablemente quejándote de que no puedes escribir o de la fatal imposibilidad de la comunicación o de algo por el estilo. Además, con buenas intenciones se hace mala literatura, había leído que había dicho un escritor francés en algún lado. Jonathan anticipaba que sus futuros pares literarios le criticarían esa vanidad, eso de cuestionarse para qué escribir, o para qué sirve el arte o alguna otra tontería. Pero los que creían que esto era un lamento más sobre el infortunio de los artistas estaban equivocados, argüía él en su debate imaginario. Minorías, *puf*, pensaba.

Cuando Jonathan empezó su carrera, los sueños lo torturaban con algo que no sabía bien qué era. Nació con una incomodidad, una especie de vacío, un dolor que no se iba ni aunque se tomara cinco tylenols. Una novia de esas que no se borran nunca le había regalado un cuaderno y ahí había garabateado algunas ideas. Veinte años después, en pareja y con un hijo adolescente, el vacío no terminaba de irse. Haciendo la limpieza de la temporada invernal, mientras la nieve de New Jersey azotaba los huesos de los que la paleaban, Jonathan encontró el cuaderno. Y lo abrió. Y creyó que algo lo llamaba. Y pensó que era el llamado de la literatura. Tal vez se había confundido.

Buenos muchachos

Skitching: era la maniobra que le gustaba hacer en la patineta.

Memo odiaba caminar, tal vez porque su madre lo llevaba

caminando a todos lados y le contaba que cuando ella era niña iba con su mamá, la abuela de Memo, a buscar agua al arroyuelo cercano al rancho donde vivían y ellas tenían que soportar que los hombres, bestias que sólo sirven para beber como tu padre que en paz descanse, le decía la madre, que esos hombres le tocaran las nalgas a su mamá, la abuela de Memo; a ella, la madre de Memo, que entonces tenía nueve o diez años, le gritaban cosas obscenas que ninguna niña debería escuchar a esa edad, entiendes Memo, yo sé que algunos de tus amigos le dicen groserías a Rosaura, *Mexican slut* y cosas así, y tú no deberías dejarlos, pero sé que tienes que aguantarte porque así somos nosotros, aguantamos hijo, continuaba su madre.

Memo se había aficionado a la patineta. Le daba libertad, no era total, pero alcanzaba para algo, sobre todo para escapar de su casa. "¿Adónde vas?", le gritaba la madre cuando oía la puerta, y él respondía, "Ya sabes, má, con la tribu a andar en patineta". Podía ver que Rosaura se sonrojaba un poco, y a él le hervía la sangre.

La tribu era el grupo que se juntaba en el parque a hacer piruetas, a fumar marihuana, a hablar de chicas y de videos porno. A Memo lo aceptaban a regañadientes. Pero no era por haberse criado con ellos, por haberle mentido al unísono a sus madres, por haber habitado el mismo barrio o haber jugado al béisbol juntos, no. Existió un momento en el que tal vez no hubo separación, cuando tenían siete u ocho años y compartían un mundo donde no existía el pasado, sólo el presente, donde todos eran uno con el verano, o las bicicletas, o el río, donde valían no por cómo hablaban o por lo que se ponían, o por de dónde venían, sino por ser parte de un territorio puro y cruel a la vez: la infancia. Ahora todo era distinto, pesaban y pasaban otras cosas y cada uno era cada uno y era menos el otro.

Memo era miembro de la tribu primero porque podía

arreglar patinetas con un simple destornillador pero, sobre todo, porque era el mejor haciendo skitching. Luego de aprender a andar en línea recta, a balancear el cuerpo casi como si flotara y a zigzaguear en velocidad, perfeccionó los deslizamientos básicos por las rampas de aquel pequeño cuadrilátero de cemento que definía un país pleno de curvas parecidas a las que a veces Memo sentía en su cerebro. Un lugar bien iluminado de noche, un lugar seguro, un lugar donde se podía ir sin que los adultos se acercaran. Un lugar perfecto.

Entre ellos se desafiaban. Eran competitivos y buscaban distinguirse del resto. Todos practicaban los trucos básicos, desde el Ollie hasta los más difíciles del grind y los diferentes flips. Memo aspiraba a más, algo que no lo hiciera igual a ellos, ya que nunca lo sería, y la comprensión de esa esperanza que ni siquiera había podido nacer lo había hecho más sólido, como si fuera de piedra. Buscaba ser el mejor, ser distinto. Surfeando la Internet encontró un video con un muchacho que se agarraba de la parte de atrás de una camioneta para tomar velocidad con su patineta, se soltaba y salía disparado, feliz. Luego fue viendo más y más ejemplos, estudiando particularmente el de Dave Abair porque le parecía preciso y porque le gustaba el gorro que llevaba puesto. El guardia del parque había sido un *skater* en sus tiempos y a veces, cuando estaba de buen humor, accedía a conducir su Nissan 300zx modelo 1996 por el estacionamiento del parque para que Memo se agarrara del paragolpes e hiciera el skitching. En otras ocasiones, cuando la resistencia era mayor, sobornaban al guardia con un *six pack* de Miller Lite que alguno de los muchachos se procuraba gracias a un tío generoso o demasiado borracho. Es cierto que hubo algunas caídas y algunas burlas. Pero nadie más se había atrevido con la maniobra. Y él la había practicado tanto que, como su ídolo Abair, hasta se atrevió a subir algunos videos a youtube, con nombres que se le cruzaban por la cabeza sin saber muy bien por qué: *El surco de la flecha*, era uno; *El riesgo de los cobardes*, era otro; *La tensión de las ruedas,* otro.

Razones de la cólera

Cuando Jonathan decidió ponerse a escribir, los caminos se mostraban cubiertos de una niebla generada, al parecer, por su mismo cerebro. Un maestro de inglés de la secundaria le había dicho que la literatura sale o de la vida o de los libros. Primero, eligió leer. Leyó mucho, muchísimo, de todo. La lectura era una actividad que lo complacía y fue haciéndose un lector sofisticado y hasta exigente: pasó de la persecución enfermiza del argumento a valorar el diseño de los personajes, el ritmo de una frase, la manera de llevar la lengua hasta sus últimas consecuencias. Pero algo lo molestaba con respecto a la literatura, eso de enfrascarse en otros mundos hechos de tinta: la sentía falsa, sin peso en el universo, una cosa más que lo dejaba indiferente. Entonces pasó a la vida y se dedicó a escuchar conversaciones, a observar pájaros y gente y edificios. Y nada. La vida era fluir, caos, un evento detrás del otro. ¿Cuál era el problema? El problema era la vida, el arte no puede con ella, pensaba Jonathan que, digámoslo de una vez, pensaba demasiado y escribía poco. La vida es demasiado real, solo puede ser vivida y no ser representada. Pero no se olvidaba tampoco de su otro problema: el vacío existencial. Ni del cuaderno.

Y entonces conoció a Junior Radliff. Lo que hay que saber de Junior, era, por un lado, que se llamaba Junior no porque fuera el menor de su familia, sino porque su padre colombiano era fanático del Junior de Barranquilla; por el otro lado, que Radliff era escritor. Publicado. Con contactos. Junior le explicó las cosas de una manera sencilla: la literatura, Jonathan, le dijo, es identidad. Uno escribe con el cuerpo y uno escribe de dónde es. Es autoexpresión y exploración. Y luego se rió. Se rió mucho, no paraba de reír. No me vas a creer esas mamadas, ¿verdad?, dijo, hablando ese español Frankestein panhispanizado que se escuchaba por la zona. Mira, continuó, tú eres un gringo bueno, uno de esos que se escandalizan de los males del mundo y se compadecen de los desafortunados que tienen menos que tú y tu familia. Está biennnn, decía Junior alargando las enes. Debes ir a lo seguro para empezar: escribe sobre los hispanos que viven en el este de la ciudad. Será un buen ejercicio. Te aseguro que se publica en el *South Jersey Underground*.

A Jonathan le dio asco el consejo mercantilista y explotador de Junior. También le dio asco su hedor a whisky, su sonrisa de dientes torcidos. Extendió la mano y estrechó la de Junior. Era hora de ponerse a escribir.

Buenos muchachos

Memo mantenía a distancia a los miembros de la tribu porque sabía que terminarían marginándolo y también porque su madre le insistía, hijo, estos americanos son todos iguales, nos desprecian, creen que somos inferiores, no te descuides. Pero sobre todo no confiaba en ellos porque habían llegado a sus oídos chismes malignos sobre Rosaura. Chris era otra cosa; Chris hablaba poco; Chris no lo miraba de arriba abajo. Era lo más cercano que tenía a un amigo. Por eso lo invadió una tristeza llena de inevitabilidad cuando se dio cuenta de que Chris debía morir.

Esa tarde se habían juntado como tantas otras y comenzaron a ir y venir por las rampas. Memo había decidido hacerlo para terminar de dar un paso al frente. Primero fue y habló con Toño, el guardia. Toño no estaba de buen humor y Memo tuvo que acudir a las cervezas para que accediera a sacar el auto. Luego, se encaminó al cuadrilátero de las patinetas y, como era su estilo, lo anunció por lo bajo para que sólo uno de los de la tribu lo escuchara. Por supuesto, Jerry gritó:

-¡Memo lo va a hacer sin casco!

Todos acudieron. Se hizo un pequeño cónclave. Toño acercó el auto y dio la señal. Memo se tomó del paragolpes y, aunque el Nissan 300zx iba un poco más rápido de lo acostumbrado, supo rodar por las imperfecciones del pavimento por varios metros y luego se soltó, abrió los brazos como un avión, hizo una manual y terminó con una Ollie. Los muchachos aplaudieron. Y Memo pensó que tal vez podría cambiar su apellido. Memo King sonaba muy bien.

Se dejó adular un poco, pero de repente Jerry gritó:

-¡Chris también va a hacerlo!

Memo se dio vuelta y lo vio preparando la patineta para el skitching. Corrió hacia él, lo tomó de un brazo y le preguntó si estaba loco. Chris lo miró desde la derrota. Memo no entendía nada, pero cuando volvió a insistir, su amigo levantó los ojos hacia las tribunas de metal situadas en los costados del pequeño estadio. Rosaura observaba todo con ojos que a Memo le parecían de fuego.

En ese instante, Memo podría haber sentido el odio subiéndole desde todos los años de ser un *fuckin* latino, pero sin embargo no experimentó nada de eso. A cambio, percibió una extraña tranquilidad en su ser, una determinación muy presente. Le dijo a Chris que usara su patineta, que él se la prepararía. Llamó de nuevo a Toño, que ya andaba por su quinta cerveza. El Nissan 300zx apareció en escena y Memo empujó la patineta hacia Chris con sus pies. Comenzó la prueba y pronto todos se dieron cuenta que algo andaba mal: el auto zigzagueaba, Chris no sabía hacer skitching. A los pocos metros, se soltó, pisó la parte trasera de la tabla y cayó hacia atrás. Las ruedas frontales de la patineta rodaron hacia el pasto.

Mientras la sangre manaba de la cabeza de Chris, los miembros de la tribu se acercaron. Congelados por la dureza de lo real, pronto se sacudieron de la parálisis y empezaron a tomar fotos y a mandarlas por Instagram. Memo había quedado detrás. Mientras ponía el destornillador en su bolsa, tres cosas cruzaron por su cabeza: Una, el título de su próximo video sería *Razones de la cólera*; dos, pensó en su madre y en el verdadero significado de la palabra libertad; y tres, supo que seguiría siendo él quien vigilara las tetas de su hermana Rosaura.

Razones de la cólera

Hasta ahora, Jonathan había escrito mucho en su cabeza y por eso decía, o se decía, que había comenzado su carrera literaria. No podía haber moral, no podía haber escrúpulos, no podía haber nada que no fuera la historia que se disponía a contar. La posibilidad de que alguien pudiera interesarse por lo que él tenía para decir, era como ver una zanahoria delante colgada de un palo, siendo él un caballo. Tomó el consejo de Junior al pie de la letra: el tema serían los desposeídos de este mundo, o, por lo menos, de su barrio de New Jersey. En la batalla continua que se libraba en su mente entre la literatura y la vida había ganado esta última, y Jonathan decidió no escribir nada "literario", sino algo real. Su hijo le había contado que en el grupo de chicos que se reunía a andar en patineta en el Lincoln Park había un muchacho, se llama Guillermo Rosas pero le dicen Memo, le había dicho su hijo.

No sabía mucho más de él, solo que usaba ropa menos cara que los demás. Era perfecto, pensó Jonathan.

Se imagina la historia. Los ingredientes: un grupo de jóvenes sin rumbo que patinan en un suburbio de los Estados Unidos. Uno de ellos, latino, *fuckin* latino está mejor, piensa -y lo piensa con ese cosquilleo que le da a los escritores cuando están por el buen camino- discriminado por su raza, por su color, víctima de *bullying*. Lo otro no lo ve tan claro: habría una relación de amor, tal vez o, más bien, deseo, habría algo de información sobre el pasado de Memo que serviría como motivación para el personaje, habría una competencia y una traición. Lo primero que se le viene a la cabeza es el título. Lo escribe con mayúsculas, para darse ánimos, intuye que lo que venga será lo mejor, finalmente las puertas de la escritura se abrirán y el vacío -el cuaderno, su existencia y todo lo que se quiera agregar sólo será un mal recuerdo.

Y entonces su mujer entra con la cara descompuesta para avisarle que algo había pasado en el parque. Era Chris.

En la mesa de Jonathan, el cuaderno está abierto. Y allí, se lee:

BUENOS MUCHACHOS

• • •

Mr. White pierde y recupera[1]

Mr. White cierra la puerta e inmediatamente sabe que le falta algo.

Poco tiempo atrás, mientras ojeaba la revista *Life Extension,* un producto había atraído la atención de su ojo izquierdo, el que no había sido operado aún de cataratas: el Pene Desmontable™ que vendía la compañía *Happiness Forever.* El producto no prometía un poder sexual maratónico, ni venía en colores varios, ni nada parecido. El interés de Mr. White se explicaba en lo conveniente que era el aparato: se llevaba puesto sólo cuando era necesario.

Aquel domingo, es necesario. Mr. White va a encontrarse con Ms. Lancaster, y hay grandes probabilidades de que emplee su órgano.

El asunto es que no sabe dónde lo ha dejado.

En su memoria de cámara lenta llegan a él imágenes de una fiesta. Son del cumpleaños sorpresa de Mr. Smith, celebrado en la casa-club del condominio de Summer Lakes el martes anterior. Poco a poco, recuerda los detalles: ancianos de piel grasienta, mucha comida, una conversación entre él y Ms. Lancaster con un leve guiño de ojo. Se reconoce un tanto pasado de copas. Y ve a Mr. Smith mirando el Pene Desmontable™ que Mr. White ha dejado en una mesa redonda. Mr. Smith odia a Mr. White. Le envidia su automóvil, sus herramientas y su juventud. Mr. White sabe que Mr. Smith lo odia. Y sabe que su vecino visita el mercado de pulgas todos los domingos.

El tiempo apremia. Su cita es a las seis y son las cinco. Mr. White maneja como un loco -dentro de la locura con la que

---

1 Versión libre de la canción "Detachable Penis", de King Missile.

puede conducir un viejo de setenta y ocho años que no ve bien- y llega corriendo al mercado. Nota un puesto de compra y venta. Allí hay juguetes viejos, hojas de afeitar oxidadas, caleidoscopios. Y, entre una lámpara de lava y un secador de pelo, está su pene.

El tipo se llama Joe y quiere treinta dólares por él. Mr. White piensa que el vendedor se está aprovechando y regatea un poco. Consigue que Joe se lo deje a veinticinco. Entra a un baño portátil sucio, se lo coloca, y sale al encuentro de su destino.

Mientras tanto, en el condominio de Summer Lakes, Ms. Lancaster tiene dificultades para insertar la Vagina Portable™ entre sus piernas. Qué porquería, dice en voz alta, mientras tira el aparato contra la pared sin pensarlo demasiado.

• • •

Bonus Track

Where is it, this present?

William James, *Principles of Psychology.*

El valor de la poesía

Si hay una historia, empieza así.

Randy, que vive en Chicago, no es Randy y no vive en Chicago. Tampoco es calvo, ni tiene una barba negra tupida. Es Jürgen, vive en Colonia, Alemania, es rubio y lampiño. En el sueño, Randy, es decir Jürgen, toma un vuelo de Colonia, Alemania, a Colonia, Uruguay. El vuelo es nocturno. En el medio del viaje algo pasa, el avión explota y sus pedazos caen al Atlántico. Jürgen siente la aceleración como si estuviera en otro planeta y también siente el chasquido de su cuerpo contra el agua fría. Pronto comienza a ascender. Cuando sale a la superficie, encuentra una pierna que no es de su cuerpo. Llora. Empieza a chapotear, a dar manotazos de, literalmente, ahogado. Se va hundiendo.

Y en ese momento, siempre en ese momento, Randy se despierta.

Randy tiene treinta años. Todas las mañanas afeita con cuidado su cabeza, traga con cierto asco su cereal lechoso y sale al mundo. Viaja en tren en dirección al Northwestern Memorial Hospital. A veces dormita. En ocasiones trata de grabarse las caras de los pasajeros que lo acompañan, pero nunca puede. Otras veces recuesta la cabeza contra la ventanilla y observa el paisaje.

Piensa en que su suerte hubiera sido distinta si no fuera por las malditas cervezas. Aquel día sus amigos y él pasaron por el 7-11 de Washington Heights. Randy tenía veinte y había sido lo suficientemente hombre como para estar en la Guardia Nacional por dos años, pero no lo suficientemente hombre como para beber tranquilo. Lucius tenía veintidós y compraba para todos. Estaban en la búsqueda de algún sitio donde hacer destrozos, romper alguna botella, lo normal. Caroline sugirió ir al vagón abandonado en el terreno baldío y la banda aceptó. Al llegar, Randy se apuró a subir al techo del vagón. Era el payaso del grupo y quería ser el primero en tirar una botella. Tambaleó y tropezó. Se apoyó en el cable suelto y sintió una descarga. Cuando sus amigos llegaron gritando a rescatarlo, su cuerpo humeaba. Randy se despertó en la sección de quemados del Northwestern Memorial Hospital. Comprendió que algo andaba mal cuando vio la cara roja de su hermana Susan y la expresión tensa de sus padres. Respiró hondo y sintió que le faltaba algo. Estiró su brazo derecho hacia su pierna izquierda.

No estaba. La pierna no estaba. El doctor Chang entró y con calma le dijo:

-Tuvimos que amputártela a la altura de la rodilla. Da gracias que estás vivo.

Randy lloró. Tuvo rabia contra Lucius por haber comprado las cervezas, contra Caroline por la idea del vagón, contra el doctor por haberle cortado la pierna. Consideró hacerle juicio a alguien. Hasta que una tarde, tirado en la cama del hospital mientras la televisión mostraba a los niños pobres de África y la voz del anunciante le pedía al espectador diecisiete dólares al mes, resolvió no dejarse llevar por sentimientos negativos. Al fin y al cabo, ¿por qué no le habría de pasar algo a él? Aunque esta perspectiva falseaba su estado de ánimo, aunque en realidad quisiera gritar, se convenció de que lo sucedido era un obstáculo más a vencer en la vida. Podía haber muerto; podía haber quedado parapléjico. Y no, sólo le faltaba una pierna. La culpa no era de nadie, la culpa nunca era de nadie. Y además, hay que vivir la vida en presente.

Randy llega al hogar para los sin techo, ubicado a dos cuadras del hospital. Entra con sus muletas, construidas luego del accidente con partes de su amado fusil. Su muñón tiene en su borde ovoide tapones triangulares de plata que le recuerdan su afición por el *heavy metal.* Cuando otras personas entran al edificio lo dejan pasar primero. Esos gestos de compasión le molestan, pero los acepta porque su atención está en otro lado.

Trabaja allí hace tres años. Desde que se recuperó, quiso acercarse a los necesitados. Para sus compañeros y la gente que visita el hogar es el "sargento", por su breve pasado militar. *Sargento, ¡qué bien vestido estás hoy!*, le dice Sandy, la jefa de la cocina. *Sargento, papi, tráeme por favor más frazadas para la 2 y la 6*, le pide Florence, la encargada de las camas. Randy trabaja en la cocina y colabora horas extras entre las seis y las ocho de la noche lunes, miércoles y viernes. Las mujeres del hogar lo tratan como un hijo y lo sobreprotegen. Él sabe que tienen buenas intenciones. La institución recibe entre cincuenta y ochenta personas por día y sólo hay veinticinco camas. Randy se indigna cuando tiene que decirle que no a los que llegan tarde al reparto. A veces, con su pobre sueldo, compra mantas y se las da a los hombres y mujeres que no tienen techo. En la cocina, el asunto es diferente porque casi siempre pueden alimentar a todos. Prepara puré de papas, zanahorias hervidas, pavo, pan de carne y macaronis con queso. Es un caos, pero es un caos divertido.

Entre los asistentes al hogar, está Clayton. Es un viejo de barba gris, alto y de ojos vivos. No es locuaz, pero a Randy le cae bien. Pide siempre la misma comida: arroz y dos patas de pollo. De postre, pastel de manzana. Randy lo mira comer, intercambian algunas palabras sobre el tiempo o sobre el básquetbol. Disfrutan del silencio.

Una mañana, Clayton se acerca con aire de misterio.

-Randy, ¿conoces el valor de la poesía?

El sargento lo mira, desorientado.

-El Uruguayo te puede decir.

Randy demuestra más confusión.

-En la parte de atrás del hospital. Ve cuando salgas.

Randy termina sus horas extras del miércoles y va a ver de qué hablaba Clayton. En un callejón sucio y oscuro de la cara este del Northwestern Memorial Hospital, escucha una melodía. Camina con cuidado hasta donde sale la canción. Encuentra a un hombre de sobretodo y gorro celeste. Hay un grabador viejo, de los de cassette, y una pila de libros. También hay un letrero que dice *Un poema por $1* y, junto a él, un balde plástico con algunos billetes y monedas dentro.

-Hola.

-¿Qué tal?

-¿Qué haces aquí?

El desconocido se frota las manos, aplaude y anuncia:

-Vendo poemas para toda ocasión.

-¿Ah, sí?

-Así es. Bueno, ¡bah!, es un precio simbólico, casi un regalo, el valor de la poesía no es ése.

Randy piensa que todas las ciudades tienen sus locos.

-¿Y cómo funciona?

El de gorro celeste lo mira con gesto de burla, pero inmediatamente nota la pierna de menos y cambia la cara.

-Bueno, la gente me da un dólar y yo les recito un verso o dos. Puedes hacer la prueba, si te parece.

El sargento deposita un dólar en el balde.

-*Aquí está lo que ha emergido después de tantas convulsiones*, declama el que está sentado en el piso.

A Randy le gusta la idea. Piensa que, a su modo, el vendedor también se ocupa de los más necesitados.

Como si le leyera el pensamiento, el declamador continúa:

-No es que me haya hecho rico, pero te sorprendería ver cuánta gente sale del hospital y pasa por aquí. Me llamo Washington, pero la gente de la calle me dice el Uruguayo, porque soy del Uruguay, explica, dándole la mano

El recién llegado no tiene idea de qué cosa es el Uruguay y tampoco sabe qué es lo que sigue. El basurero resplandece con el fuego que calienta el invierno.

-Me llamo Randy y trabajo en el hogar que está a la vuelta, inicia otra vez la conversación el visitante.

-¡Ah! Eres de los nuestros, quieres ayudar. Me alegro. Mira, ahí viene alguien. ¿Te animas a leer?

Por el callejón avanza una mujer con un pañuelo en la mano. Se detiene ante el hombre de gorro celeste y el lisiado y se dispone a dejar unas monedas.

-No, señora, no pedimos limosna. Un poema a cambio de un dólar, le aclara Washington.

La señora se suena la nariz y espera. Randy toma un libro y lee:

-*Adiós a la vida que supe vivir. Y al mundo que supe conocer. Besa las colinas por mí, aunque sea una vez. Y entonces, ¡estoy lista para partir!*

La mujer tiene los ojos vidriosos. Estornuda. Se limpia.

-Gracias, dice, y se va.

Randy también se va. Pero desde ese miércoles, vuelve todos los miércoles a recitar poesía con el Uruguayo. Siente que allí el presente se hace extenso y que no importa nada más que ellos dos y los libros. Y el público, claro.

En el hogar para indigentes, lo notan muy contento, casi eufórico. Sólo le preocupa una cosa: Clayton no ha vuelto a aparecer por ahí.

Un día Washington le cuenta cómo llegó a Chicago y de qué está huyendo y de por qué terminó recitando en la calle. Dice que la policía no le da muchos problemas pero que cuando los agentes de migración se llevan a alguno del hospital a la rastra y él los ve salir, se le para un poco el corazón. Mientras habla, una sombra va hacia ellos. No dice nada al principio; sólo pone sus manos sobre el fuego del basurero. Luego, mira el cartel.

-Hoy murió mi hija, explica la sombra y pone un dólar en el balde.

-*Sé lo que fue. Sé muy bien lo que es. Y enfureceré, si es que los espíritus enfurecen*, declama el Uruguayo.

El hombre se persigna y dice adiós.

Al siguiente miércoles Randy le cuenta de su accidente, de sus temores y de su trabajo. Washington le dice que todos hemos perdido algo y lo invita a tomar un líquido que sirve en una vasija pequeña y que sorbe con una varilla de metal. Le asegura que el mate es el mejor compañero que hay; eso le decía su abuela y es cierto, sostiene. Randy chupa el líquido de la vasija y le parece estar bebiendo madera ahumada. No está mal, piensa, mientras siente el calor que recorre su cuerpo. El Uruguayo declara que planea darle el veinte por ciento de las ganancias por la lectura de poemas y su amigo se tienta de risa.

-¿De qué te ríes?

-Pensé que el valor de la poesía estaba en otro lado.

-No te confundas, la poesía es la poesía y los negocios son los negocios.

-¿Y para qué quiero tu dinero?

-Ya no es solamente mi dinero. Y podrías comprar más frazadas para abrigar a tus vagabundos.

Randy está por continuar la discusión cuando ve una pareja caminando lentamente. El Uruguayo levanta la vista. Siente la curiosidad del muchacho y la muchacha al verlos a él y a Randy, al observar el letrero y los libros. Se nota que el muchacho ha llorado mucho. Es ella quien habla.

-Hace una semana mi hija entró con un cuadro grave al hospital. Los médicos le daban un 50% de probabilidades. Las matemáticas estuvieron de nuestro lado. Mañana sale, cuenta, y deposita unas monedas en el balde.

Washington mira a su compañero y le indica un libro.

-*Y así la enfermedad y el cambio no te toquen, como tú, al acercarte, los alejas de mí*, recita Randy.

La desolación abandona a la pareja y, en cambio, hay gratitud y alivio en el callejón. Se toman de la mano y siguen su camino.

9 de noviembre del 2016. Hay mucho trabajo en el hogar y Randy llega tarde a la cita con el Uruguayo. Lo encuentra tomando el último mate y a punto de juntar sus cosas para irse.

-No te preocupes, hoy hubo poca gente, comenta.

En el grabador comienzan a sonar los acordes de La Marsellesa y luego "All you need is love".

Un hombre de traje y maletín negro viene por el medio del callejón. Se detiene junto al puesto de poesía, observa a su alrededor, y da una carcajada.

-¡Pero qué tenemos aquí! Esto sí que es simpático, poesía a un dólar. Que ocurrente, de verdad, qué ocurrente, siempre dije que todos y todo tiene su precio. A ver, déjenme que les saque una foto para subirla a Instagram. Mierda, no sale bien el flash con el teléfono ¡Bien, ahora sí! Oigan, ¿y ustedes pensaron solitos en esto? Porque, vamos, la verdad, en estos tiempos, la poesía, ¡por Dios!, a ver qué tenemos aquí, un rengo y un negro, la lacra del universo, claro, todos estos desgraciados que nos infectan como virus, los débiles se reproducen y no paran de crecer y de reclamar respeto y tolerancia. Pero esto se acabó. Estamos hartos. A ver, dejen que mando un twitter, @pm estoy con dos poetas y se la creen, ¿no es súper fantástico? Otros que quieren salvar al mundo. Sálvenme de los salvadores, socorro, jajaja #poetaslocos #ironíay poesía. Los haré famosos, créanme, tengo muchos seguidores. Ustedes deben ser los seres más útiles, más productivos del mundo, sí señor. Yo, que acabo de cerrar un trato multimillonario con el hospital, no puedo imaginarme lo que debe ser tener una misión tan noble como la de ustedes, de verdad que no puedo.

El Uruguayo tiene los ojos bien abiertos. Randy piensa que esto es el presente. El hombre del maletín sigue hablando pero cambia el gesto.

-Les voy a contar. Hubo un tiempo hermoso en que éramos otros, mi hermano y yo, y fundamos una de las empresas más importantes del país, tuvimos reuniones en rascacielos, supimos beber un champagne de trescientos dólares. Éramos felices, sí. La felicidad está hecha con dinero, esa fue la primera lección que aprendí, créanme. Pero mi hermano me traicionó, ¿saben? Me dijo que estaba vacío, que el mundo no podía ser así. Dijo que nos debíamos a nuestros semejantes. ¡Ja! Idioteces. Nadie se parece a mí. Yo soy yo. Tenía costumbres raras, mi hermano, por ejemplo, siempre comía lo mismo: arroz y dos patas de pollo. Yo le decía, Clayton, ¡puedes comer caviar por el resto de tus días si quieres! No hubo caso, me abandonó. Hace un tiempo me lo encontré; andaba vagando por ahí, no me reconoció y me pidió unas monedas. ¿Saben qué hice? Le escupí la cara y lo mandé a trabajar. Está muerto para mí.

El hombre hace una pausa. Mira su teléfono, que no para de vibrar.

-Mis seguidores se están divirtiendo con esta aventura. Mañana sí voy a tener de qué hablar en la reunión. Miren, les voy a hacer un favor. Les voy a mostrar lo que vale la poesía. Acá está, -dice y saca un fajo de billetes que arruga en el balde- les compro todos esos libros, es más, les compro el puesto. No se preocupen que le voy a dar un buen uso.

El empresario se mueve rápido y antes de que Randy o

Washington puedan intervenir, recoge algunos libros y los pone en su maletín. Cuando quieren detenerlo, saca la pistola. Luego, patea el grabador.

-No, no, no, quietos ahí, -dice, mientras empieza a tirar los libros al fuego del basurero- ¡Pasen y vean, señores! -grita-, ¡Pasen y vean cómo cae la máscara de los mercaderes de la palabra, de los charlatanes que nos llevaron a la ruina! ¡No hay consuelo posible, si quieren salvar a alguien, sálvense ustedes!

Sus gritos se pierden por el callejón. Randy camina hacia él.

-Si le interesa, podemos mostrarle el verdadero valor de la poesía, le dice con voz calma.

El tipo duda con los ojos, pero no reacciona mal.

-Un desafío. Bien. Pero vamos con cuidado y no hagan ningún movimiento brusco. Voy a trasmitir por Facebook en vivo, para darle más emoción al asunto, digo ¿no?

Randy lleva al hombre del maletín y al Uruguayo a la parte del hospital que tiene los depósitos más grandes de basura. Caminan lento, con el hombre por detrás, apuntándoles.

Llegan a una calle ancha que termina en un paredón, con los depósitos dispuestos a un costado. Hay algunos gatos que maúllan, buscando comida.

-Y, ¿qué van a hacer? ¿Me van a leer algún versito?, bromea el empresario, mientras aprieta el botón de grabación del teléfono.

Hay una velocidad en el presente que es difícil de describir. Es en esa frecuencia que se desarrollan los hechos. Randy se mueve con una agilidad poco común para un lisiado, extiende una de sus muletas como un fusil y desarma al hombre; la pistola cae lejos. Al mismo tiempo, el Uruguayo se tira sobre él y comienza a golpearlo hasta dejarlo casi inconsciente. El tipo balbucea alguna palabra. Entre ambos, lo toman de los hombros y lo arrastran hasta el basurero industrial. Antes de meter el cuerpo en él, Randy se inclina sobre el hermano de Clayton y le aplasta la cara con su muñón como si quisiera dejarle su sello, transformándola en una masa informe de carne y sangre. Lo alzan y lo arrojan a la basura.

Están por irse, pero Washington habla.

-Espera.

Toma el teléfono del tipo y lo destroza con la muleta de Randy. Se la devuelve, cierra los ojos y declama:

-Todo llega nada no.

Luego, arroja el dinero del balde sobre el cuerpo del malherido.

Ambos saben que ya no volverán a verse.

A los pocos días, Randy duerme en el tren con la cabeza recostada sobre la ventanilla, camino al trabajo. De pronto, alguien lo sacude con suavidad.

-Randy... Randy...

Es Clayton.

-Perdón... yo...

-No, Clayton, tranquilo, qué bueno verte. Te extrañamos por allá, ¿qué pasó?

-Sí, lo sé, no quise preocuparlos. Es que hace meses que ando buscando a mi hermano, él está algo desequilibrado, tiene problemas ¿entiendes?, y tengo miedo que haga una locura. ¿Nunca te hablé de él?

Randy le dice que no.

-Ah, se llama Gabriel, como el ángel mensajero. Aquí tengo una foto, ¿no lo has visto por casualidad?

Por toda respuesta, Randy recita:

-Todo llega nada no.

Clayton comprende. O eso cree.

-Gracias, le dice, y se baja en la siguiente estación.

Esa noche, el sueño cambia. Jürgen atraviesa el Atlántico

en avión, el avión no cae, Jürgen cree ver un objeto en el Río de la Plata, aterriza en Colonia, Uruguay, toma un taxi hasta el faro, se encuentra con el Uruguayo, se sientan en la playa y se ponen a tomar mate, ven que unos niños se sacan una selfie con una golondrina herida, de repente algo arriba desde el mar hacia ellos, es una pierna de plástico, Jürgen se la pone y él y el Uruguayo ríen y ríen.

Randy llega al hogar, saluda a Florence y a Sandy y se pone a cocinar. Hace frío y hoy harán sopa.

• • •

Nota

Cinco de los dieciséis relatos de este libro fueron publicados anteriormente. "Un problema de difícil solución" recibió una mención especial como "Maneras de estar muerto" (XIX concurso de relatos José María Arguedas del Instituto de Cultura Peruana de Miami, Florida, Estados Unidos, 2010). Con ese mismo título, fue publicado en **suburbano.net** *(http://sub-urbano.com/maneras-de-estar-muerto, 20 de junio del 2014)*, en la antología cartonera Gente ordinaria (México: Librosampleados, 2014, pp. 7-15) y el e-book *ESC* (Miami: Suburbano ediciones, 2013). "Takj" apareció en *Tras lo fantástico contemporáneo*, dossier de la revista *Los Bárbaros* (Nueva York, n. 7, 2016, pp. 56-61). "Fidelidad" se publicó en la revista *Contextos (http://revistacontextos.net/2016/02/02/tres-microrrelatos-de-pablo-brescia/, Honduras, 2 de febrero del 2016)*, en el libro *Entre el ojo y la letra. El microrrelato hispanoamericano actual* (New York: Academia Norteamericana de la Lengua Española, 2014, p. 504) y en el blog *La nave de los locos (http://nalocos.blogspot.com/2013/01/pablo-brescia.html, España, 2013).* "Gestos mínimos del arte" fue publicado en el libro *Cien años de lealtad. En honor a Luis Leal. One Hundred Years of Loyalty. In Honor of Luis Leal* (México: UCSB; UC-Mexicanistas; UNAM; Instituto Tecnológico de Monterrey, Universidad del Claustro de Sor Juana, 2007, vol. 2, pp. 885-889). "Código 51" apareció en *#revista de horror* del Suplemento de Libros (México, vol.1, n..1, 2014, pp. 12-14) y en *Gente ordinaria* (pp. 31-41). Todos han sido revisados para este libro.

Pablo Brescia

Nació en Buenos Aires y reside en Estados Unidos desde 1986. Publicó los libros de cuentos *Fuera de lugar* (Lima, 2012; México 2013) y *La apariencia de las cosas* (México, 1997). También, con el seudónimo de Harry Bimer, dio a conocer los textos híbridos de *No hay tiempo para la poesía* (Buenos Aires, 2011). Reunió algunos de sus relatos en la antología cartonera *Gente ordinaria* (México, 2014) y la antología electrónica *ESC* (Miami, 2013). Participó además en *Sólo cuento VI: los mejores cuentos hispánicos* (México, 2014); *Pequeñas resistencias. Antología de cuento norteamericano y caribeño* (Madrid, 2005) y *Se habla español: voces latinas en USA* (Miami, 2000). Escribe la columna *El alma por el pie* para la revista cultural suburbano.net (Miami). En su blog, Preferiría (no) hacerlo (www.pablobrescia.blogspot.com) comparte reflexiones sobre escritores, música y cine. Es profesor de literatura en la Universidad del Sur de la Florida (Tampa).

Made in the USA
Columbia, SC
02 February 2018